JN050603

覚醒するシスターフッド

Awaken Your Sisterhood

大前粟生
サラ・カリー
こだま
柚木麻子
キム・ソンジュン
ヘレン・オイェイェミ
桐野夏生
藤野可織
マーガレット・アトウッド
文珍

河出書房新社

覚醒するシスターフッド

覚醒するシスターフッド　目次

装丁　田中久子
装画　高橋由季

リッキーたち

サラ・カリー
岸本佐知子＝訳

これは、あなたと知り合う前のわたしの話だ。

わたしたちは四人とも女子で、背はそろって百六十センチあるかないか、体重も五十キロそこそこだった。けれどもあの年の秋、夏休みの短期留学を終えて大学に戻ってきたわたしたちは、男のようにキャンパスをのし歩いた。身長百八十五センチで体重は九十キロ。垂らした腕をぐっと曲げて。片方の膝にはサポーター。お祭りで、小さい木の玉をガラスの牛乳びんめがけて思い切りぶつけるゲームで賞品にもらえるぬいぐるみのゴリラ、わたしたちが目指したのはあの感じだ。わたしたちは見えない大ハンマーを肩にかついでのし歩き、そして名前は全員リッキーだった。

なんでリッキーかって？

だって、ほら。自動車修理工のリッキー。プロボクサーのリッキー（あれはロッキーだっけ？）。アルファベットをぜんぶゲップで言えるリッキー叔父さん。

最初は冗談みたいなものだった。

わたしたちは大学の〝レイプ・サバイバー〟グループの集会で出会った。女子学生たちがカップケーキを遠慮がちにちびちびかじり、そのあと泣きながら自分の体験を話す。で

リッキーたち

サラ・カリー

もわたしたちはちがった。みんなで輪になってお互いをマッサージしあいましょうという段になると、わたしたちは一人また一人と、尿意をもよおしたり急なメールが来たふりをして、その場を抜け出した。外で顔を合わせると、わたしたちは口々に、なにが〝サバイバル〟だふざけんな、と言いあった。お互いの名前さえまだ知らなかった。そのままいちばん近い誰かのアパートに直行し、馬鹿みたいに酔っぱらった。いや、大まじめに、と言うべきか。

次の朝、わたしたちはひらひらしたギャザースカートを捨て、肩ひもの細いタンクトップを捨て、〈エクスオフィシオ〉の黒のビキニショーツを捨てた。一人は自分のを焼いた。誰だったかは忘れた。べつの一人は「グッドウィル」の古着回収箱に自分のを叩きこみ、もう一人はキッチンばさみでずたずたに切り裂いてゴミ箱送りにした。わたしは自分のを捨てずに、ベッドの下の箱の奥ふかくにしまいこんだ。

わたしたちはジーンズをはき、皮肉のきいたTシャツを着た。頭にバンダナを巻いた。ほら、今もここにある——黄色、紫、赤、ターコイズ。たまにクロエ、というのは飼っているオーストラリアン・シェパードのことだけれど、クロエの首に巻くこともある。でもあとで忘れずに箱に戻して固くふたを閉じる。

わたしたちはベリーダンス部やヨガ教室をやめた。ダルフール難民を救うことに本当は大して興味がないと白状しあった（ただわたしはメーリングリストはそのままにしておいた。ほかの人たちがどうしたかは知らない）。大学のカフェテリアではベジタリアンがいつも集まっている同じ一角に陣取り、大口をあけて骨つきチキンにかぶりつき、ソールズベリー・ステーキをむさぼり食った。

　スーパーでは、デルタ・ゼータ［大学の女子社交クラブ］の使いっ走りがハード・レモネードの六本パックを三つ抱えて重さによろめいているのを見つけてはガンを飛ばした。わたしたちが飲むものといえば、断然バーボンだった。それも〈ブレット〉［西部開拓者が愛飲したことで知られる古い銘柄。アルコール度数四五度］。バーテンダーの目をまっすぐ見すえて、バーボンをストレートで、と言うのは愉快だったし、そのバーテンがたじろいで、散弾をほじくりだすみたいに二の腕をかきむしるのを見るのはもっと愉快だった。そう、それがわたしたちの趣味だった――他人をたじろがせることが。

　十月、わたしたちはそろって〈Ｍｏｍ（ママ）〉のタトゥーを入れ、肌の腫れがひくと、油性マジックで〈になんかなるもんか〉とか〈が憎い〉とか〈のせいだ〉などと書き足した。なんで母親のせいなのかって？　うまく説明できなかったけれど、とにかく母親にだけはなりたくなかった。わけても娘だけは絶対に産むまい、特に〝リサ〟とか〝ベル〟とか〝ベス〟とか〝クレア〟なんていう名前は決してつけるまい、と固く誓いあった。

　十一月、わたしたちは射撃場のレディス・ナイトに通いはじめた。きな臭い空気が充満する射撃場に立ち、自分の腕と銃を一体化させるイメージで、大げさにもがき苦しむ男の形をした紙の標的めがけて勢いよく金属片を発射する。モンタナ州ビリングスに、そういう標的を大量生産している工場がある――蛍光グリーンやピンクや黒の再生紙に、金的と心臓と頭がすべて〝特大《ウルトラ》スケール〟で印刷されている。当時、その工場はわたしたちのおかげで回っていたようなものだった。わたしなんか今でもそうだ。引き金をすばやく引くと、弾はキャンと短い虚ろな叫びをあげ、それがひと連なりの長い悲鳴になって射撃場にこだました。

短期留学から帰って次の学期が始まると、わたしたちの憎むべき敵は手編みのカバーをかけた聖書を抱えた一年生の女子たちだった。キャンパスで独りぼっちでいる女子学生を見つけては、聖書の勉強会に勧誘する手合いだ――〝ソーダ飲み放題！　いかすクリスチャン男子がいっぱい！〟。わたしたちは彼女たちの頭をぽんぽんと叩いた。自分が劣悪なブリーダー工場にいることに気づいてもいない、世間知らずなヨークシャーテリアたち。わたしたちは言った、悪いね、あたしたち、全方位的に無神論者なもんでさ。でもその言葉は何かしっくりこなかった。〝無神論者《エイシイスト》〟では前向きすぎた。〝ニヒリスト〟だと明確すぎた。何々〝イスト〟は、どれもこれも、わたしたちを言い表すには単純すぎた。

リッキーたち。それがわたしたちだった。

夏の日焼けが抜けるまで何週間もかかったが、十一月の声を聞くころには、やっとわたしたちの肌も古びて凝固した牛乳の色に落ちついた。もうこれで誰からも〝どこに行ってたの？〟だの、〝楽しかった？〟だの、ウワーイイナア、アタシモ僕モ来年ハドコカ外国ニ行コウカナア、だのと言われることもなくなった。ひと夏をそれぞれべつの外国で過ごしたわたしたちに言わせれば、ユカタン半島も、ストーンヘンジも、チェンマイも、カトマンズも、もはやエキゾチックな〝地上の楽園〟なんかでは全然なかったし、セルジオ、ギャビン、ソンティ、ヤシュなどという名前の男たちはいっさい信用できなくなっていた。

わたしたちは自分をレイプした男の顔を忘れまいとし、それから忘れようとし、あまりに何度も、あまりに長いあいだそれをくり返しすぎて、彼らの顔はぼんやりと輪郭が溶けてしまっていた。マネキンのような、火傷を負ったあとのケロイドのような、つるりとしてつかみどころのない顔。誰の顔にでもなりうる顔。

だから、わたしたちはすべての人に背を向けた。

わたしたちは誰も自分をレイプした男の写真を持っていなかった。だからその箱の中は探さないで。わたしたちはスマホに残された自撮り写真や、何の気なしに撮った通りのスナップショットの隅のほうに目をこらしてみたけれど、彼らの姿はどこにもなかった。わたしのスマホには(もちろん今は電池が死んで箱の中だ)、端っこが焼け焦げた屋台の焼きトウモロコシを持っている自分の手を撮った写真が一枚あった。後ろのほうに長い影が写りこんでいる。これはトウモロコシ売りだろうか、それともセルジオ? それともただの自分の影だろうか。

箱にはほかに何が入っているかって? ベルがチェンマイからバンコクまで乗った夜行バスの切符の半券。クレアがひどい吐き気と混乱のうちに見知らぬユースホステルのベッドで目を覚ました朝、バッグの中から出てきたバーの紙ナプキン。ヒマラヤを十日かけて踏破するトレッキングツアーの三日め、簡易テントの寝袋で寝ていたベスをデートレイプした現地アメリカ人の男の着ていたゴアテックスのレインコート。――はじめて出会ったあの学期、わたしたちはベスのアパートの部屋の暑さに慣れるのに苦労した。ベスはファンヒーターの目盛りをめいっぱい上げて、夜は何もかけずに眠った。どんなに柔らかい素材でも、掛けぶとんと名のつくものはベスにとってはひどくいやな感触で、体にのしかかる重みも耐えがたかった。外がどんなに寒くなっても、ベスの部屋ではわたしたちはいつも汗だくだった。

　その年のクリスマス休暇、わたしたちはお互いへのプレゼントがわりに裁判所に行き、名前を変える手続きの列に並んだ。

「マドンナ」とか「シェール」みたいに苗字がない名前にしたかったので、全員リッキーでスペルだけ変えることにした。そもそもの言いだしっぺはベルだったので、発案者の特権で彼女がＲｉｃｋｙ（リッキー）を取った。ベルは風変わりで、頭が切れて、いつもやることがとんがっていた。クレアはちょっとむくれてから、じゃああたしはＲｉｃｋｅｙ（リッキイ）にすると言った。なんだか字面が清純っぽくて気に入らないと本人は言ったけれど、彼女はオランダの画家が描いた生真面目で可憐な少女といった雰囲気だったから、お似合いだった。ベスは〝ｉ〟で終わる名前に希望を感じると言った。彼女がいまでは問題をかかえる子どもたちに登山を教える仕事をしていることを考えると、Ｒｉｃｋｉ（リッキ）という名前は正解だったんだろうと思う。わたしは自分がどんな人間になりたいかなんてわからなかったけれど、Ｒｉｃｋｉｅではなんだかつまらなかった。Ｒｉｃｉ（リキ）なんか、コスモポリタンな感じでいいんじゃないかと思った。みんなからは、これなんて読むのよ、と訊かれたけれど。

　わたしたちは用紙に必要事項を記入したが、新聞に告知を一週間出してからでないと書類も手数料の百ドルも受理できない、と窓口で言われた。

「新聞って、あの紙の？」わたしたちは言った。ニュースなんて、もうネットにしか存在しないものだと思っていた。

窓口の係は、露骨に困惑したような態度がうざかったが、それでもちゃんと教えてくれた。「そうです。ほら、誰かが結婚すると、後から誰かに異議を申し立てられたりするでしょう？　それと同じですよ。あなたたちだって、誰かの伯父さんの名前を勝手に使っちゃっているかもしれない。四人ともね」そう言って彼は、笑い声のかわりに眉毛を上下させてみせた。

わたしたちは回れ右をした。

裁判所を出たところに新聞の自販機があったけれど、コインしか入らなかったので、バス停に立っていた女の人に借りた。わたしたちは新聞紙の乾いた薄い紙に触れた。手にインクがついた。わたしたちは「ねえ、覚えてる？」と言いあった。何を、とは言わなかった。その匂いに、父親や、小学校のころ朝食でたべたシリアルや、チェリオスとインクの匂いのする朝の記憶を呼びさまされて、急に恋しくなってしまったからだ。父親とチェリオスが。でもそんなものとはもうおさらばしたのだから、かわりに告知を出すべく地元紙に電話をかけた。そして想像した——底冷えのする紺色の朝、輪ゴムでたばねた新聞が家々の玄関先に投げこまれるところを。

数日後、新聞のローカルページの最終面に四人全員の告知が小さな活字で載った。この空の下のどこかで、まだ朝の七時に起きる人々が、今ごろわたしたちのことを読んでいる。七時に起きる人なんて、わたしたちのまわりには一人もいなかった。八時からの授業を取っている子たちでさえ。わたしたちは自分たちがカウボーイになって、夜明け前の町の食堂にいるところを思い描いた。これからガンマンを迎え撃つのだ。

でも返ってきた反論は手紙が一通きりだった。ほら、ここにその告知文がある。わたしの母が新聞から切り抜いて、手紙も何もつけずにそれだけ封筒に入れて、わたしの住所に送ってきたの。ほかの三人の母親は誰も地元に住んでいなかった。

それでも、いつもならこの時期になると娘から来るはずのメールや飛行機の便名を知らせる通知が来ないのにしびれを切らした二人の母親が、クリスマスはいつごろ帰ってくるのと電話をかけてきた。どちらも留守電に転送された。〈いま卒論にかかりきりで、休みはぜんぜん帰れなさそう〉、リッキーはそうメールした。〈友だちとスキーに行く予定！ケータイがぜんぜん通じないところなの！〉リッキもそう書いた。もう一人の母親は電話をかけてこなかった。クルーズ船で旅行中だったから。

こうしてわたしたちは正式にリッキーたちになった。

十二月と一月の大半を、わたしたちはお互いの部屋で過ごした。ラジエーターの上に丸くなって腰かけ、カップの受け皿からブラックコーヒーを飲みながら、窓の外の雪を眺めた。

やがて事件が起こった。事もあろうに二月に。リッキイとリッキが恋をしたのだ。お互いに。

「そんなのバカげてる」とわたしたち（の半数）は言った。「恋とか愛なんてものはこの世に存在しないのに」

「でも、あたしたちはあるって信じてる。リッキー同士ならなおさらよ。それにほら、あたしたち昔から女の子が好きだったし」二人は指をからめあい、お互いを〝リッキー・べイビー〟と呼びあった。

「あんたたちリッキーじゃないでしょ」とわたしたち（の半数）は釘を刺した。

その週、二人はいつもの激安ハンバーグ・ナイトにわたしたちを誘わなかったが、けっきょく店で出会った。気まずかった。二人はわたしたちが聞いたこともない古い映画の話をしていた。何週間かして二人はいっしょに住みはじめた。そしてあんのじょう、子猫を飼いだした。

　二人が子猫を見においでよとわたしたちを誘った。わたしたちはその誘いをさんざんおちょくりながら、それでも出かけていった。二人の部屋はカレーとクローブ煙草の匂いがした。リッキイがクローゼットみたいに狭いキッチンで鍋をかき混ぜていた。ヒヨコ豆とじゃがいものトマト味のスープ。

「リキ、そこのガラムマサラ取ってくれる？」リッキイがフトンの下の調味料入れがわりの靴箱を指さした。

　リッキは床にすわって煙草を吸いながら、毛糸の切れ端で子猫をじゃらしていた。「あたしたち、もう肉を食べるのやめたの。あんたたちも絶対そうするべき。ほんと、ヒヨコ豆とか芽キャベツのローストを食べると、気分はたちまちポパイ。体じゅうに力がみなぎるよ」

　わたしたちは部屋を見まわした。コーヒーがいつの間にか緑茶の缶に入れかわっていた。ドアのところにジョギングシューズが置いてあるのが見えた。おまけに猫だ。

「それってホウレン草でしょ」とわたしたちは言った。

リッキーたち

サラ・カリー

二人はきょとんとした。

「ポパイが食べるのはホウレン草」

「ああ、うん。あの人もケールを食べればよかったのにね。スーパーフードだもん」

わたしたちは、小さなピンク色の肉球でいろんなものをこづき疲れてリッキの膝の上で眠っている小《ち》っちゃな猫を見た。名前はミトンズ《てぶくろ》だった。信じられる？　わたしたちには無理だった。

ほらこれ、ミトンズの爪からはがれ落ちた小っちゃな薄片。二人の部屋のラグに埋もれていたのを拾って、ジーンズのポケットにこっそり入れた。変だと思う？　指の先で触れると、ちくちくするのが気持ちよかった。

「でさ、もし二人が別れちゃったら、この猫どうするの？」リッキーが言った。

それから何週間か、二人と会うことはなかった。

その年の春、卒業前の最後の春、わたしたちは四方八方から押し寄せる人の波をかきわけて教室に向かった。中庭にはショートパンツにビキニの女子学生とフリスビーを投げあう男子学生がひしめいていた。古着のセーターを着たわたしたちは汗だくになって、わき目もふらずにまっすぐ歩いた。リッキイとリッキがピクニックシートに寝そべっているのが見えた。わたしたちが立って見ている前で、二人はモロッコ行きの格安チケットの話をしていた。リッキイが夏にインターンで働くつもりだと話していた。二人はフルーツを食べていた。梨の汁が二人の顎をつたって流れた。

わたしたちもこんなふうに陽の光を肌に浴びたい、甘いジュースをなめとりたいと、心の底から思った。

ほら、これがそのときリッキがふざけてわたしの頬《ほ》っぺたにつけた、梨のラベル。わたしはそれを自分のちくちくするセーターに貼りなおして、二度とそのセーターを着なかった。ベッド下の箱の中には、あのころ着ていたぶかぶかのセーターが全部まとめて詰めこんであって、ほかのいろんな醜いものたちの柔らかな寝床の役目を果たしている。

その夜、梨の夜、わたしたち二人（残ったほうのリッキーたち）はいっしょに映画を観た。二人の女性弁護士が主人公で、お互いに――なんとびっくり――恋に落ちるという話だった。わたしたちは並んですわり、膝の上にラップトップを斜めにのせていた。太腿にじんわり熱が伝わった。わたしたちはもぞもぞとジーンズを脱ぎ、ベッドにもぐりこんだ。脚と脚をからめあい、キスをした。そしてまたキスをした。互いの口の中で舌をからめ、甘い味を求めあった。マクドナルドの二色のソフトクリームがコーンの上で一つによりあわさるように。

わたしたちはがむしゃらに腰と腰をすりつけあった。まるで丸の中をより真っ黒に塗りつぶせばマークシートの試験をパスできるとでもいうように。わたしたちはエンピツをぐりぐり押しつけすぎて芯が折れ、紙は破けて机の木肌に突き抜けた。わたしたちは、あの夏を消すことはできなかった。ただ紙にエンピツで跡をつけただけだった。

わたしたちは恋をすることも、キュートなヘアスタイルにすることも、陽のあたる場所に行くことも、女弁護士になってパンツスーツを颯爽《さっそう》と着こなし、法に守られない人々を守って毎日ラテを飲むこともなかった。これはそういう話じゃない。そうだったらよかったのに。だってわたしはいまもベルを愛していて、彼女はいま死んだ魔女の髪の色をしているから。そして彼女は姿を消し、誰も居場所を知らない。

それでもわたしたちは眠った。こんこんと眠った。暗闇を怖がる姉妹のように、ベルのシングルベッドで丸くなって眠った。最後に彼女と会ったときも、やっぱりわたしたちはそんなふうにして眠った。

あと何週間かで大学も終わりというある晩、わたしたちは会わなかった。宿題があるとか、何かそんなことだった。わたしたちはそれぞれの部屋でバーボンのコーク割りを飲んだ。もう遅い時間だった。わたしはいったん寝て、また目を覚ますと、ギンギンに目が冴えて、酔いがまわって、テンションがハイだった。夜更けだった。わたしは誰にもメールしなかった。理由はなかった。もしもそこで立ち止まって考えていたら、もう終わりが近づいているのだと、わたしたちがこの手で築きあげてきた絆がほころびかけているのだと、気づいてしまっていただろう。

このときのわたしのことを、まちがってもサナギから羽化しかけている蝶だなんて思わないでほしい。わたしたちは蝶なんかじゃなかったし、今もちがう。オレンジ色の翅《はね》をそこに見ないでほしい。オレンジ色の翅なんて、どこにもなかった。

あのときのわたしというなら、むしろどろどろの幼虫のスープだった。ほら蝶って、幼虫のときにいちど自分を生きたまま食べて、消化液で自分を溶かして、どろどろの液体の中にただ目玉とか触角とかがぷかぷか浮いたシチューになるでしょう。でもわたしが小学校で教師をしていたころ、子どもたちには黙っていたことがある。なかにはずっとスープのままの幼虫もいるっていうことを。

　その晩のもので、今も箱の中にあるのは、砂利だ。

　閉店一時間前の〈ツリーハウス〉は人でごったがえしていた。わたしは飲み物を頼み、フロアに出て踊った。十五分くらい経ったころだろうか、リッキイと目が合って手を振りあったが、わたしは女子トイレの近くにやっと確保した空きスペースで踊りつづけた。頼んだホワイトルシアンをストローで飲んだ。喉が焼けそうに甘かった。リッキイは政治学科の奴《ブロ》と話していた。前にジョン・ロックについて発表するのを見て以来、彼女がアホ呼ばわりしていた男だ。リッキ・ベイビーはどうしちゃったんだろう。

　わたしはゲロとラムパンチのにおいを嗅ぐまいとした。そして踊った。四方を陸に囲まれたわたしの体は、スネ肉を吊るした屋台の隣で風に吹かれていた四十ペソのジプシー・スカーフみたいにひらひら揺れた。その夜、わたしの体はバカンスを味わっていた。かなりショボい、ご近所バカンスではあったけれど。

　ふいに店内が明るくなった。音楽がやんだあとの耳がキーンとなる静けさに追い立てられて、みんながぞろぞろ外に出ていった。そのときまたリッキイの姿が見えた。さっきの奴《ブロ》とキスしていた。

　まわりじゅうでほろ酔いかげんの学生たちが車に乗りこみ、エンジンをふかして砂利をはね上げながら店の駐車場をつぎつぎ出ていった。ナトリウム灯の黄色い光に土埃が舞い、それでもリッキイはまだそいつとキスしていた。

わたしは二人めがけて突進し、彼女の手をつかんで引っぱった。でも二人の口はまだ離れなかった。

「リキ、放してよ。あたしは大丈夫だから」彼女が声を荒らげた。

リッキイはわたしを押しのけた。そんなに強くではなかったけれど、それでじゅうぶんだった。わたしが立ち去ると、二人はすぐまた続きを始めた。キスを。わたしはかがみ、砂利をつかんでは何度も何度も二人に向かって投げつけた。トラックのライトがわたしをまぶしく照らした。

「ビッチ！」窓から誰かがそう叫んだ。わたしはそいつらめがけて砂利を投げ、去っていくトラックの後ろに向かってまだ投げつづけた。

気づくとリッキイと奴《ブロ》はいなくなっていた。駐車場は無人だった。覚えているのはそれだけ。それと、翌朝の有機化学の期末試験でCを取ったこと。あばよ、大学。

わたしたちは卒業した。


真っ白な椅子の海を前に、わたしたちは並んで立った。リッキーたち、プラス彼女のお姉さんが一人、みんな揃いのタフタのドレスを着て、手にはガーベラとカスミソウのブーケ。二馬身先にはクレームブリュレ色のシルクに身を包んだクレア／リッキイが立っていた。

牧師が「では新婦に誓いのキスを」と言うと、彼女の夫になったばかりのジムがかがんで彼女にキスをし、抱きしめた。それを見ながらわたしは思った、この人は彼女の名前を、本当の名前を知っているんだろうか、彼女が百ドル払って手に入れた、あの名前を。たったの三年前のことだった。

新郎新婦が退場し、わたしたち――残ったリッキーたちは手をつないでいたが、やがてそれもばらけて、一人また一人と通路を歩いていった。

レセプション会場で、ＤＪが結婚披露パーティの開催を宣言した。マイクのボリュームが会場のわりに大きすぎた。わたしとペアを組んでいる花婿付添人《グルームズマン》――新郎のいとこか何か――は、即座にバーに飛んでいった。リッキーもリッキーも姿が見えなかったので、わたしは小走りにカップケーキのテーブルまで行ったが、もしかしたらこれから何か恒例の儀式があって、それまでは食べちゃいけないのかもしれないと思いなおした。ウェディングケーキではなくカップケーキだったけれど、万が一ということもある。勝手がまるでわからなかった。結婚式に出るのはそれがはじめてだった。

〈ツリーハウス〉の夜の例の奴《プロ》が近づいてきた。あのあとクレアと半年付き合って、今でも彼女から〝ＢＦＥ（親友兼元カレ《ベストフレンド・エックス》）〟と呼ばれている。会うたびクレアを抱き上げてくるくる回るから、きっとジムはやきもきしているにちがいない。わたしはとっさにレモンメレンゲのカップケーキをつかんで半分口に詰めこんだ。でもけっきょくいっしょにダンスフロアに出るはめになった。クレアとジム、リッキーとリッキ、側転をきめているリングボーイ、くるくる回っているフラワーガールたちといっしょに、わたしたちも笑って歌をがなった。あの短期留学いらい誰とも付き合ったことはなかったけれど、友人たちに囲まれていると、いつも最初の授業で生徒たちに読み聞かせている絵本の機関車みたいに勇気がわいてきた。わたしは〝きっとできるよ　ちびのリキ〟［『きっとできるよ　ちびのきかんしゃ』は、勇気を出して大きな仕事をなしとげるちびの機関車が主人公の有名な絵本］だった。

わたしは奴《プロ》かもしれない彼を誘って、涼しい外の夜気に出た。彼の首筋を、買ったばかりの赤レンガ色の口紅（すっかりすり減って、でも今も化粧ポーチの中に入っている）まみれにしたいと思った。いや、そうしたいと思いたいと思い、本当にそうした。彼の両手がわたしの悪趣味な花嫁付添人《ブライズメイド》のドレスをはい上がり、でもそれは不快でもぶざまでも恐ろしくもなく、すてきにいい気持ちだった。いけるかもしれない。

少しして彼のズボンのジッパーに手をかけたときに、この動き、何かに似てると気がついた。不器用な慎重さとアドレナリンが奇妙に混ざりあった、そう、これは射撃場に立ったときのあの感じにそっくりだった。

彼のズボンのジッパーを下ろしてボクサーの中に手をもぐりこませると、彼もわたしのグリーンのふわふわのドレスの上半身をずり下ろすことに、どうにか成功した。半裸にむかれたティンカーベルになった気分だった。わたしは急にお腹をひくつかせて笑いだした。お互いの生っ白い裸をさらしあっているこの間抜けな状況が、変てこで、面白くて、笑いが止まらなかった。わたしの手の中の彼のコックは生まれたての子猫みたいに軽くてかわいらしかった。握りつぶすのも、踏みにじるのも、バケツで溺れさせるのも、苦もなくできそうだった。どこも〝特大《ウルトラ》スケール〟でもなければガンメタル・グレーでもなかった。

いま、これを言えた自分に驚いてる。ともかくも、もしかしたらそれほど奴《ブロ》じゃないかもしれない彼はわたしにほほえみかけ――たぶん何にほほえんでいるのか自分でもわからないまま――そしてわたしたちは先を続けた。

わたしたちは、いえわたしは、わたしと彼は、露のおりた草の上に並んで横たわった。春の若木のほころびかけたつぼみが、肌の白と唇のピンクで夜闇に点々と輝いていた。わたしはあとちょっとだけそれを見あげてから、パーティに戻っていった。ひとりで。

数週間後、わたしはまたベルと会うようになった。彼女がわたしの家の近くの大学の大学院課程に通っていたのだ。そのころのベルは『レインボー・ブライト』〔八〇年代に放送されたアニメ。虹の国の平和を少女たちが守る〕みたいに、腰までの髪をポップな虹色のグラデーションにしていた。彼女と会うのは楽しかった。当時のわたしはよく教師仲間とハッピーアワーでいっしょに飲んだけれど、小学校の女性教師について巷《ちまた》で言われていることはつくづく真実だった――けっきょくのところ、昔イルカの調教師になるのが夢だった人が、今は小さい子どもが輪っかをくぐるのを見て悦に入っている、それが小学校の女教師という人種なのだ。目の前のワインをもうお代わりしたくないふりをするのも、もううんざりだった。自分で思っていた以上に、わたしはベルを強く求めていた。彼女の大学院の話を聞いていると、自分ももう一度学校に入りなおそうかなという気持ちになった。わたしたちは自分が考えていること、本のこと、ときには男のことも話した。ふだん集中力が三分しか続かない生き物に囲まれていたから、そうでない誰かといっしょに過ごす時間は至福だった。ある昼下がり、ふと気づく

リッキーたち

サラ・カリー

と二人同時に〝この先〟という言葉を口にしていた。わたしはずっとそれを待っていた。待っていたことを忘れてしまうくらい、長いあいだ。

この先、二人いっしょに。この先も。その先も。ずっと。

その日、カフェで四ドルの赤ワインを飲んで過ごしたあの夕方は、わたしたちにとっての陽のあたる場所だった。リッキとリッキイよりずいぶん長くかかってしまったけれど、かまわなかった。かつて自分を新しくしたわたしたちは、もういちど新しい自分を作った。わたしたちは、ベルとリサだった。つかのまわたしは自分たちを蝶だとさえ信じた。そうして二人で末永く暮らしましたとさ。

もちろん、現実はそうはならなかった。

〝リッキーたち〟は、もう過去のものだった。黒歴史と言ってもよかった。もう誰もその話をしなくなっていた。根の明るいベスも、結婚したクレアも、たぶん。ベルとわたしにとっても、それはもう必要のないものだった。わたしはいろんなものを箱に入れ、ベッドの下にしまいこんだ。そして決めた。もしも将来娘を産んだらこう言おう。男の子と車で（あるいは輪タクで、スクーターで、バスで）いっしょになることを、あなたはきっと避けられない。でもわたしの前では好きなだけ怒りをむき出しにしていいのよ。にっこりしたくなければ、しなくていい。胸の中の真っ黒なものを好きなだけさらけ出していい。わたしがきっと受け止めてあげるから。

というようなことを、二年後わたしはベルに話した。わたしは獣医大学の二年めを終えるところだった。するとその週末、ベルが列車に乗って（バスは避けた）、ボストンからわたしの住むフィラデルフィアまで会いにやってきた。ベルは長かった髪をばっさり切って、紫がかった灰色に染めていた。学位論文を書いていて、ときどき抗鬱剤と抗不安薬の世話になっていた。古代エジプトの女たちはクルミと黒猫の血を混ぜたもので髪を黒く染めていた、と彼女は言った。「すべては戻ってくる」、そうも言った。

「ベル。なにかあったの？」

「すべては戻ってくるのよ」彼女はくり返した。

わたしは彼女の抗鬱剤をこっそり二錠飲んだ。世界が一時間ほどぐるぐる回った。ベルは言った。歴史学科で、ある男と知り合った。最初はクールだと思ったけれど、ちがった。全然そうじゃなかった。

「警察に行こう」わたしは言った。「絶対そうすべき」

ベルはかぶりを振った。「そうしたら、わたしは歴史のなかで被害者っていうだけの存在になっちゃう」

わたしたちはワインを飲んだ。わたしはその男のマンションに忍びこんで足の指をちょん切ってやると言った。もしも友だちの身にそれがまた起こったと知らされたら、それが言うべき言葉だった。ありがとう、とベルは言った。それから二人でしばし、本当にできるだろうかと考えた。部屋に押し入る。相手を脅す。ノコギリで骨をごしごし切る。でもこれは映画とはわけがちがう。もしつかまってニュースに映ったら、きっと二人とも顔に出てしまって、シラを切り通せないだろう。

わたしたちは高いギリシャ料理店で食事をした。火のついたチーズがお皿にのった料理が出てくると、ベルは片手を炎につっこんだ。

ウェイターが悲鳴をあげた。わたしは彼女にグラスの水をかけた。

「あ、ごめんごめん！」と彼女は言った。「この火、作り物なのかなって思って」

でもわたしにはベルが何を考えていたかがよくわかる。たぶん一瞬、自分を焼いてしまいたかったのだ。自分は本物じゃなくてダミーか何かで、ある目的のために作られた自分の身代わり人形なんだ——自分を消してしまうための。

彼女にベッドの下の箱を見せようと決めたのはそのときだった。わたしたちはそこにレストランのレシートと、火ぶくれてむけた彼女の皮膚の切れ端をつけ加えた。うちのタンスの引き出しにレインボー色の長いポニーテールがあるんだけど、それ送ってもいいかな、とベルが言った。

「なんだかあそこじゃしっくりこなくって」

「いいよ。ほかにも何か捨てられずにいるものがある？」とわたしは言った。

その夜がベルと会った最後になった。わたしたちはワインをもう一本あけた。わたしはいつもの睡眠薬を飲んだ。いっしょにクイーンサイズのベッドに入り、しっかり抱きあった。やがて一人が寝返りをうち、もう一人もそうした。背中合わせに寝て、でも足と足は触れあっていた。目を覚ますと、ベルはいなくなっていた。ベッドサイドにケータイを残したまま。バックパックは消えていた。

彼女の両親が警察に捜索願いを出した。でもそれが何かの助けになるとは誰も思っていなかった。

それから何か月かが経って、さいきんわたしは思いはじめている。もしあのとき箱のふたを閉じていなければ、もし箱の中身一つひとつに手を触れていたら（セーター、砂利、手紙、むけた皮膚、子猫の爪の薄片）、もしも箱を閉じるかわりに中身をぜんぶ外に出していたら――そうしたら、どうなっていただろう。

もしかしたらベルはわたしのところに戻ってこられたんじゃないだろうか。

彼女は今もあそこに、箱の中にいて、リッキーたちとウイスキーを飲んでいるんじゃないだろうか。彼らがベルをあそこに引き止めているんじゃないだろうか。

あの夜わたしはベルに言った、この箱がリッキーたちを生かしつづけているんだって。そしてリッキーたちもわたしたちを生かしてくれている――リサと、ベルと、ベスと、クレアを。リッキーたちは今もわたしのベッドの下で生きている。彼らがむき出しの怒りを抑えつけてくれている。彼らこそむき出しの怒りそのものだ。わたしたちの中の、いちばん勇敢でいちばん醜い部分、それがリッキーたちだ。彼らは暗闇の中で塵《ちり》だけを食べて生きている。わたしたちがそうならないために。ベルがわたしの言ったことを信じてくれたらいいなと思う。彼女も自分でそう言っていたのだから――すべては戻ってくる、と。それでもわたしは待っている。

リッキーたち

サラ・カリー

"The Rickies" by Sarah Curry. First published in *Nimrod International Journal of Prose and Poetry*, Spring/Summer 2018, Vol. 61, No. 2.
Copyright © Sarah Curry. Japanese translation appears by permission of the author c/o Jennifer Lyons Literary Agency LLC.
through Japan UNI Agency, Inc.

パティオ8

柚木麻子

よくよく冷静に考えてみれば、最初から101号室の言い分はめちゃくちゃだったのである。

なぜなら、『パティオ6』の入居第一条件は「中庭で子供が騒いでいても気にしないこと」だったのだ。でも、いきなり目の前のサッシ窓がガラガラ開いて、無精ヒゲの太った中年男がヌッと出てきて怒鳴られたせいで、母親たちは頭が真っ白になってしまったのかもしれない。

「メルボルンのCEOとZoomで重要な取り引き中なんです」

どういうわけか黒光りする極太のワイヤレスマイクを握り締め、101号室の男は窓から中庭全体に響き渡るように、そう言い放った。きーんと、ハウリング音が初夏の空にこだまし、子供たちが悲鳴をあげていっせいに耳を押さえた。

「向こうとの時差は一時間だから、今がまさにビジネスのコアタイムなんです。ずっと我慢していたけど、もう限界です。商談に支障がでているんです。申し訳ないですが、お子さんに中庭を使わせないでもらえるとありがたいのですが」

母親たちに朝から晩まで口を酸《す》っぱくして言われているせいで、それなりの距離を保っ

パティオ８

柚木麻子

て遊んでいた二歳から十一歳までの五人は、それぞれの場所で動きを止め、１０１号室を不安そうに見つめていた。

パティオ６は大家の佐々木雅子さんの住まいを含めると七世帯の住居が、十数メートル四方の中庭をロの字の形で取り巻いている、珍しい平家型マンションだ。引っ越してきて半年の１０１号室はどうだかわからないが、みんな、この庭の存在が入居の決め手だった。各家庭の玄関ドアと、ダイニングキッチンと一続きのリビングの窓がすべて庭に面しているため、室内にいながらにして子供たちが遊んでいる様子を、常に確認することができるのだ。

先月、緊急事態宣言がでてからというもの、この中庭と住人同士の協力体制がパティオ６の女たちにとっては生命線となっていた。六人で当番を決めて一人が中庭で毎日三時間、子供たちを遊ばせている間、他のみんなはこうして窓から様子を見張りながら、仕事や家事を片付けている。そんな暮らしがかれこれ一ヶ月以上も続いていて、気付けば、コンクリート壁を覆う佐々木さん自慢のクリーム色のモッコウバラはそろそろ最盛期を終えようとしていた。

「この庭を使っちゃいけないことになったら、私たち、一体どこで子供を遊ばせればいいんですか？」

真っ先にそう反論したのは、１０５号室から顔を出した篠原かえでさんだ。四十二歳の篠原さんはここではリモートワークの大先輩といえるロマンス小説専門の翻訳家だが、現在、住人の中でもっとも仕事が滞っている。保育園が先月半ばに休園、週刊誌編集部勤務の年下の夫・昇さんは表向きは在宅ワーク推奨ということになっているものの張り込み取材に行かざるを得ないので、二歳の奏くんをワンオペで育てている彼女が仕事に没頭できるのは、寝かしつけた後、もしくは他の誰かが中庭で奏くんをこうして見てくれている午後だけなのだ。

「申し訳ないです。こっちは自宅でのんびりできる身分じゃないんで、協力してください、としか……」

１０１号室が何故か苦笑いを浮かべると、篠原さんの指紋だらけの眼鏡の奥がにわかにギラギラしてきているのが傍目にも見て取れた。

「お言葉を返すようですけど、ここにいる全員、働いてますけどね？」

割り込んできたのは、１０１号室のお隣の１０２号室の窓から首を突き出したシステムエンジニアの上島瑠里子さんだ。同業者で同い年の夫・学さんが後ろからこわごわと覗き込んでいる。このマンションでは唯一夫婦揃っての在宅勤務で三十代前半。一番余裕がありそうに見えるが、中学受験を控えたちょっと心配性の翠ちゃん、そんなことは知ったこっちゃない四歳の涼くんも始終一緒となると、毎晩のように部屋からは金切り声が聞こえてくる。

「全員ってことはないですよね。そこの人、休職中じゃなかったでしたっけ？」

１０１号室が、本日の中庭当番、子供たちの中心に立っている１０４号室の加藤さんを、やおら指差した。加藤さんは、美容院に行けないため伸びっぱなしの髪をカラフルなターバンでまとめてて、この段階ですでに目尻がキュッと釣り上がっていた。小顔なのでマスクをするとほとんど顔が隠れてしまうが、くっきりした眉と切れ長の目をああ？　という風にいらだたしげに歪めれば、１０１号室をたじろがせるには十分だった。このマンションで一番詰んでいるのは疑いようもなく、三十代前半のシングルマザーの彼女だ。勤め先の新宿のナイトクラブが休業となった上、週の大半はここに泊まり込んで育児をサポートしてくれていたネイリストの親友が三月終わりに故郷に帰ってしまってからは、貯金を切り崩して暮らしている。娘の麻里ちゃんは母親の激昂の兆候を察知したのか、可愛がってくれる佐々木さん宅に向かって自転車を漕いでいって、奏くんがその後ろをヨタヨタとついて行った。麻里ちゃんは本来なら今年から小学校に通い始めているはずだが、学校へは先月、教科書をもらいに行ったきりだ。

顔をあわせてもろくにあいさつもしない１０１号室がそれぞれの事情にやけに通じているので、みんなだんだんうす気味悪くなっていった。彼の妻である物静かな女性にしたって、中庭のバーベキューに誘った時にやんわり断られて以来、全く交流はないのである。

「僕の仕事は育児の片手間にできるようなものとは違うんですよ」

マンション全体がしんと静まり返った。１０１号室もさすがにこれは、まずい、と思ったらしく、すねたように唇を結んでひん曲げた。

「あー、えー、言葉が過ぎました。気を悪くされたらあやまります。でも、大口の取り引きなんです。今、うちの会社がこの騒動で株価が下落して、せっぱつまっていることをご理解ください」

１０１号室はいかにもナイーブそうなため息をついて、肩をすぼめた。マイクを通じて、生温かい息が漂ってきそうだった。

「動く金額、関係なくないですか？　大変なのは今、どの業界も同じでしょ？」

　１０３号室の玄関ドアから出てきたのは、大手家電量販店の主任・四十歳の茂木晴海さんだ。診療放射線技師の夫・昌幸さんは家族への感染をなによりも心配し、勤め先の大学病院に提携を申し出たビジネスホテルに宿泊しているため、もうずっと会っていないらしく、１０５号室の篠原さんと同じく家事育児すべて一人でこなしている。留守番させている小学三年生の息子・望くんの様子が勤務中も気になって仕方がないらしい。

「あなたは、今も通勤されていましたっけ。接客業ですよね。ご主人は医療関係でしたっけ？　大変ですね」

　１０１号室が大げさに眉根を寄せ、茂木さんの顔がたちまち強張った。それは彼女が一番気にしていることで、都知事から最初の外出自粛要請が出た時に、ここのみんなと距離を置こうとした原因でもある。望くんがお稽古用のバイオリンを両手にだらりとぶらさげ、母親の顔を覗き込んでいる。１０１号室とは中庭を挟んでちょうど向かいの１０６号室の窓辺で、底値で買った大量のにんじんをすりおろしながら、ことのなりゆきを見守っていた三穂は、とうとう身を乗り出した。

「今の言い方、職業差別じゃないですか!?」

　調理中につきビニール手袋およびマスク着用のため、声がくぐもらないよう精一杯張り上げた。

「さっきから、聞いてりゃ、自分、自分、自分って。私たち今、助け合うべきじゃないんですか⁉」

「……あの、失礼ですけど、お宅にお子さんいませんよね？」

101号室が今度は怪訝そうにこちらを見た。子供を含めたパティオ6全員の目が、一斉に集まり、三穂はたじろいだ。ひょっとしたら部外者がいらんことを言ったんじゃないか、と一瞬不安になった。いや、三穂は中庭当番にも参加している。それに、家賃を払っている以上、発言する権利はある。

「子供いるいない、関係あります⁉」

三穂より先に怒鳴ったのは、ゴムベラと粉ふき芋の入ったボールを抱えて、ダイニングキッチンからあっという間に隣まで遠征してきていた、パートナーのようちゃんだった。ようちゃんがこんな風に人前で感情をあらわにすることはとても珍しい。眼鏡がマスクから漏れる息と芋のせいでどんどん曇ってきている。

「私たち社会人はみんな、責任があるんじゃないでしょうか？　次世代をとりまく環境に。私だって、あなただって、地域の子供たちの未来に少なからずコミットしているんですよ？」

ようちゃんは耳を真っ赤にして、ボールに頭をつっこむようにしてうつむいた。三十代後半の同性カップルでこども食堂なんてやっているとあらぬ誤解を受けて勝手に同情されることがある。自分たちの子供をもつのがまだ容易な国ではないから、子供と触れあえる場所にみずから進んで身を置きたかったのではないか、とか。三穂にはそんなつもりはない。単にようちゃんの望む形で一緒に何かやってみたかっただけで、それが意外にも向いていたのか今日まで続いているだけである。

この段階では全員、101号室とは徹底抗戦の構えだったのに、なんと三時間後には、明日から101号室のメルボルンとのやりとりが終わる日まで、中庭は使用不可となってしまったのである。

十七時過ぎ、ようちゃんがいつものようにパティオ6の各部屋に順繰りに、試作品を作りすぎたのでよろしければどうぞ、とカジキの粕漬け焼きとポテトサラダと切り干し大根とおにぎりを配り歩いていたら、佐々木さんがインターホン越しにこう言ったのだ。

「101号室のご夫婦が、さっきうちに見えたのよ。お連れ合いさんまで一緒に謝るの。あの方もすまなさそうでね。さっきはついかっとなってしまってごめんなさい。ただ、今は会社が大変な時で、言うべきかはずっと迷ってたけれど、あんまり庭がうるさくて仕事に支障が出るから、どうしても今だけは協力して欲しいって。言葉が過ぎたことはあやまります。精神的にいっぱいいっぱいなんで、ですって。みなさん、どうする？　私はみんなの気持ちを優先するわよ」

それずるくないか、と三穂はこの話をようちゃんから聞くなり、なおのこと腹がたった。

スマホを片時も手放さずに、母親たちとＬＩＮＥで相談した。夕食からお風呂、子供を寝かせるまでの最中にも、それぞれの意見が時間差で枝葉のように連なっていく。最初は憤っていたけれど、落ち着いてくると、あいつのことはマジでどうでもいいが、佐々木さんと101号室の妻さんを巻き込むのは心苦しいから、ここは引かないか、という結論に収束していった。そもそも101号室の仕事を邪魔したいわけではないし、なにより、これだけ身元が割れているのに恨まれるのは怖い。子供たちが知らないところであんな風に怒鳴られるのだけは避けたかった。一生中庭が使えないわけではないのだから、とりあえず午後はよそに行くか、部屋で過ごそうということに不本意ながらもまとまった。ようちゃんが代表で佐々木さんに電話で伝えると、やはり彼女もほっとしたようだった。

とはいえ、メルボルンとの商談が成立しても販促会議などのやりとりは今後も続くのだろうから、いつまで中庭使用不可、という明確な期限は設けられないらしい。近所の公園に行こうにも、一番近くでここから二十分以上かかる上、今は遊具の使用もテープで封じられている。明日からどう過ごすべきか、と母親たちはみんな、途方にくれていた。

結局のところ、それなりに年齢を重ねた男が謝罪に追い込まれた時の、必要以上に恐縮した姿は、暴力に近いものがある。心より先に身体が拒否反応を起こし、これ以上この惨めな姿を見ているくらいなら、許してしまった方が楽だと条件反射で道を譲ってしまうのだ。それは優しさやいたわりではなく、大人の男がしょげているのは、ものすごく可哀想で見るに堪えないものだと、生まれた時から刷り込まれているだけではないか。

当然のことながら、その晩のパティオ6リモート飲み会は、101号室の悪口に終始した。奏くんが全く寝てくれない篠原さんは毎度のことながら、宴もたけなわになってから、缶チューハイ片手にボサボサ頭で幽霊のようにパソコン画面に現れた。

「あ、またストロング系!! 絶対やめた方がいいっつったじゃん!! 飲みかけの激安でよければワインのボトル、今、部屋の前に置きに行くから待ってなよ」

上島さんは早口でそう言うと返事を待たずに、分割された画面から姿を消した。しばらくして篠原さんの背後からインターホンの音がした。篠原さんは遠慮する気力もないようで、そのままよろよろ立ち上がり一瞬消えると、少しだけかさが減った赤ワインのボトルを手に戻ってきた。そのままスクリューキャップを外すとぼんやりした顔でラッパ飲みし、さきほどようちゃんが届けた状態のままになっているプラ容器のお弁当をがさごそ広げはじめた。それを見て、茂木さんが、あ、忘れてた、私も食べよう、と立ち上がり、背後に見えるごちゃついたキッチンに向かった。このすきに三穂とようちゃんも、氷とバカルディにサイダー、庭から摘んできた山盛りのミント、クラッカーとフムスをパソコンの前に彩りよく並べた。上島さんが満足げに画面に戻ってきて、ようやく全員が揃った。

「篠原さん〜。今訳している王子様は〜?」

麻里ちゃんと一緒に実験気分で作ったアメリカンドッグがハイボールとよく合うらしく、上機嫌の加藤さんがコンビニ景品のグラスをからから鳴らしながら声をかけると、篠原さんにやっと笑みが浮かんだ。

「史上最年少のNY市長でハンサムな大富豪が、ホテルで清掃係をしている四十一歳シングルマザーのヒロインに恋をするの。ハンプトンの別荘で愛し合った翌朝、冷たいシーツがピンと張った広々したベッドにね、彼が手作りの、モンテクリストっていう、ハムとチェダーチーズを挟んだフレンチトーストとしぼりたてのオレンジジュースを運んでくれるの」

「え、なに、それ、めっちゃ美味しそう、今度作ったるわ!」

三穂が思わずそう言うと、わーい、とパソコン画面から一斉に歓声があがった。イケメンNY市長より断然、他人が作ってくれる朝食のほうが魅力的だったのである。

「そこまでとはいわんが、せめてうちの夫も乾麺くらい茹でられるようになって欲しい」

上島さんが死んだ目で言った。上島さん夫婦はこうなる前は家事は完全分業でうまくまわっていた。しかし、どちらも常に在宅となると覇権争いが絶えなくなった。一見マメな学さんは料理となるとからきしだめで、米さえ研げないのだ。

「うちにいてくれるだけいいじゃん。私からみたら理想的だよ」

篠原さんが再びワインを瓶ごとぐびりと飲んだ。夫の昇さんの勤め先は風俗情報と下衆な芸能記事で有名な週刊誌だ。いよいよ休刊が視野に入ってきたせいで、是が非でもネタをつかまねばならないらしく、飲み歩いているという噂のある有名人や政治家を自粛警察よろしく今夜も見張っているのだ。

「最初は夫が憎かったけど、よくよく考えたら、これ全部、夫が所属している職場が昼夜逆転で育休も取れないせいじゃない？　なんだか私がやっていること全部、あの雑誌の最低最悪な誌面作りに吸収されている気がするんだよね……。その点、茂木さんの夫さんはさ、立派な仕事だよ」

「でも、なんで、うちのマーチャがこんなに危険な目に遭わなきゃいけないのって、もう誰を恨んでいいかわからんよ。偉いとは思うけど、ずっと会ってないし……。このおにぎり、おいしいね！　異国っぽい香りがする。もち米だよね？」

茂木さんが、かじりかけのおにぎりをまじまじと見つめている。職場での淀みのないハイテンションセールストークを維持するためか、帰宅するとあまりしゃべらない彼女が言葉を尽くすのは珍しい。三穂はにんまりした。

「台湾風おこわ。手作りチャーシュー入り。その香りは五香粉。こういう状況、ちょっと海外気分で気が紛れない?」

パティオ6にきてから、三穂はすっかり料理名人ということになっているが、別に才能があるわけでも、味にこだわりがあるわけでもない。自営業を営む父親にほったらかしにされて育ったので、小さな頃から食事は自分で作るしかなかった。島根県の高校を卒業してからありとあらゆる飲食店の厨房を経験した。そのどこでも三穂はあっという間になじんだ。三穂の特技は、常にその場にとって、ちょうどいい味を作り出すことだった。料理は単純に生きていく手段だった。ようちゃんに出会うまでは。

ミントと氷たっぷりのモヒートをステアしてようちゃんに回すと、画面から口々に美味しそうー、いいなー、という心の底から羨ましそうな声が漏れた。窓から入ってくる風に夏の匂いがまじっていて、随分長く、夜のデートをしていないことに気付かされた。

三穂とようちゃんが出会ったのは、ようちゃんが働いていた子供福祉課のある区役所の社員食堂。すさまじい不味さで有名だったが、三穂はなんのプライドもなく、厨房に貼り付けてある黄ばんだレシピそのままに、ベタベタ甘い酢豚や衣がはがれかけた状態のメンチカツを作り続けていた。ようちゃんのことは最初から気になっていた。一番外れがない、わかめラーメンとカツカレーだけを交互に食べ続けているリスクヘッジ能力にぐっときてしまったのだ。四つも年下だと知ってびっくりした。

初めての朝ごはんは、ようちゃんの冷蔵庫にあったありあわせで作った。納豆オムレツ、

パティオ8

柚木麻子

豆腐の味噌汁、ごはん、賞味期限ギリギリのメンマとチーズとネギを和えたもの、という簡単なものだったが、ようちゃんは美味しそうに食べ、おかわりまでしてくれた。

——三穂ちゃんのごはんってすごく美味しいね。絶対お店やれるよ。

お世辞かと思って箸を伸ばしたら、確かにこれが自分の料理とはおもえなかった。そういえば、いつもより十回くらい多く米を研いだし、卵も火加減に注意した気がする。

——こういうごはん、食べさせてあげたい子供、私、たくさん知ってる。もっと外にて直に支援できたらいいなって思う。行政の目が行き届いていない死角はまだまだたくさんあるよ。

ようちゃんがうつむいてオムレツを崩しているのを見て、三穂は一世一代のプロポーズのつもりでこう言った。

——ねえ、私と一緒にこの街でお店をやらない？ イートインスペースのあるお弁当屋さんを始めるの。で、お店を閉めた後、そこでこども食堂をやるのはどうかな。

ようちゃんが退職するのを待って助成金を申請し、小学校の通学路になっている商店街にテナントを借りてもう二年になる。ようちゃんが培ってきたノウハウとネットワーク、客の流れを読むに長《た》けた三穂のコンビで、ランチタイムは繁盛し、日が暮れると、両親が共働きで帰りが遅い子から、生活困窮家庭の子まで、時には親を連れて出入りしてくれるようになった。

今年三月の末、散々悩んだあげく、感染を避けるために食堂は閉めた。四月に入ってもしばらくはお弁当の店頭販売のみ続けたが、緊急事態宣言の後は、ケータリングに切り替えた。家庭環境があまりにも心配な常連の子供九人にだけは、週二回ペースで無料でお弁当を届けていた。自宅では新メニュー開発につとめ、わざと多めに作った試作品はここの母親たちにおすそ分けしている。

――配達はどっちか一人に絞った方がいいよ。三穂ちゃんは外に出ない方がいい。

そう言い出したのは、ようちゃんだ。自分は体格もよく、昔から風邪もひかないたちだから、元ヘビースモーカーで華奢な三穂ちゃんより感染リスクが低いのではないかと主張した。衛生服にマスクという完全防備で、さっそうと原付にまたがるようちゃんは、めちゃくちゃかっこいい。

「なんか、101号室の仕事をさ、私たち全員で力をあわせて支えているみたいなことになっちゃったね」

酔いが回ってきた篠原さんがぽつりとつぶやいたせいで、全員シーンとしてしまった。みんなそれぞれ思い当たる節があったのだ。三穂とてつつがなく食堂がまわるように頑張っているが、その恩恵を一番受けているのは目の前の親子たちではない気がする瞬間があるのだ。むしろ、彼らの困窮に本来責任を負うべき層の負担を進んで軽くしてやっているだけではないだろうか。暗澹たる気持ちになって、空になったグラスにバカルディを手酌したら、ようちゃんがほとんど反射的に、氷とサイダーを注ぎ込んだ。

「PLLワイヤレスマイクロホン・2018年型」

ジャックダニエルをストレートで飲み続けていた茂木さんが突然言った。

「え、なに？　なんだって？」

「１０１号室が握りしめていたマイクだよ。ブルートゥース対応の家庭用カラオケワイヤレスマイク。国内での売り上げが落ちていて、二年前から確か受注生産に切り替わってる。たぶん、メルボルンとの取り引きって、あのマイクの営業なんじゃないのかな。今、外出自粛の影響で、欧米で日本の家庭用カラオケマイクが売れているって聞いたことある」

豊富な知識で全店舗炊飯器売り上げトップ３に入る茂木さんが口にした、さる有名家電メーカーの名前を聞いて、上島さんが顔をしかめた。

「てことは、あいつクッソ大手じゃん。なーにがせっぱつまってるだよ!!」

「でも、あのマイク、メルボルンではそんな需要ないと思う。あれはあくまでも日本の住居環境に合わせた商品だよ。あいつがイラついてるのは商談がうまくいってないからだね」

茂木さんはふふっと口の端を歪めた。

「メルボルンは温暖で湿度が低い。庭のある家が多い。ホームパーティー文化が根付いている。自粛期間中、屋外に出て歌いたい人は多いと思う。同じブルートゥース対応型なら、ＫＦＭ－12っていう他社商品を私ならおすすめするな。音の広がりがぜんぜん違うし、雨水にも強い。なにより、ミラーボール型ＬＥＤライトを内蔵してて、メロディに合わせて回転して、色も点滅も変化する。あたりが暗くなれば、マイク一本で庭一面がクラブみたいに見えるんだよ。川崎の小さなメーカーで作っている知る人ぞ知るマイクだけど根強いファンが多い良品だよ。まだ製造しているのかどうかわからないけど、お、オンライン限定で販売してるな……。頑張ってるなあ」

茂木さんが肩をすぼめて手元を操作すると、そのカラオケマイクの画像が画面いっぱいに大写しになり、全員に共有された。両手で覆えるくらいの大きさのミラーボールが長いマイクでまっすぐに貫かれた、特徴的なデザインだった。確かにこっちの方が海外では面白がられそうではある。

「あー、カラオケカラオケ言わないでよ。歌いたくなってきたじゃん」

加藤さんが手際よくハイボールのおかわりを作りながら、ニヤニヤ笑っている。

「加藤さん、歌うまいよね。保育園のママ友カラオケでＭＩＳＩＡとＡＩ、聴いてびっくりした。プロになれるんじゃん？」

涼くんを麻里ちゃんと同じ保育園に通わせていた上島さんが感心した調子でそう言った。

「あはは、あれは喉を使う、カラオケにだけ通用する歌唱法だよ。あとは顔芸と振りコピね。歌がうまいってわけじゃないの。ほら、歌うまくてもカラオケの点数そうでもない人いない？」

加藤さんは画面越しでみると芸能人みたいな風貌だが、店ではマイクを握ったら離さない盛り上げ担当だそうだ。客に気に入られても恋愛感情を持たれるということがないキャラを年月をかけて構築し、そのポジションが自分でも気に入っているらしい。

「加藤さん、オンラインでカラオケの先生とかやればどう？　人気でそうじゃない？」

篠原さんがとろんとした目で提案すると、彼女はちょっと悲しげに首を傾げた。

「そんなにうまくいくかねえ。常連と有料Ｚｏｏｍ飲みとかたまーにしてるけど、やっぱ家族の目があると、そう頻繁には来てくれないもん。中庭も使えないとなると、私もう、ここは引き上げ時なのかな」

加藤さんは自分で飲む用とは思えないほど丁寧に三杯目のハイボールを作りながら、ハスキーな声で続けた。

「実家の親とはもともと仲悪いし、こんな状況だから絶対に帰ってくるなって言われてるしさ。私にはそもそも、ここは分不相応な家賃なんだよ。でも、麻里を夜に一人で残して働くとなるとさ、友達んちの近くで安心な物件に住むしかなかったんだ。佐々木さん、家賃払えなくなっても、ぜんぜん慌てなくていいって言ってくれるけど。やっぱ気になるよ」

「せめて、うちの店舗さえ再開すれば、アルバイトとして雇えるんだけど……。もちろん微々たる額しか出せないけれども」

ようちゃんが悔しそうに言った。加藤さんは、ありがと、でも私、料理これだよ？　と焦げたアメリカンドッグを画面におどけてかざす時、涙ぐんでいる様子だった。

「もう、こうなったら、いっそさあ、私たちが101号室の取り引き相手を奪わない？」

三穂はこれ以上、空気が重くならないように、わざと軽い調子で言った。ふいにパソコンが無音になったので、不具合が起きたのかと思って、おーい、とフリーズしているように見える全員に向かって手を振ってみせた。

「できない話じゃないですね」

上島さんがなぜか敬語で言い、それをきっかけにみんな一斉にそわそわ動き出した。

「茂木さんおすすめの、そのマイク、KFなんとかをそのメルボルンの取り引き相手に横入りして売りつけるんだよ」

「そんなことできるー？」

三穂が笑っていると、上島さんはさらに真顔で続けた。

「あいつの取り引き先さえ、特定できればね。十三時から十六時まで、メルボルンのどこかのメーカーのCEOとZoom会議しているんでしょ？　相手の顔の画像さえ手に入ればなんとかなる。欧米だったらフェイスブックで検索かければ、わかるんじゃないの？」

ようちゃんまでがフムスをモヒートで流し込むと、いきなりソーシャルワーカーの表情になって背筋を伸ばした。

「よし、こうしましょう。うちの弁当屋は短期間、営業代行会社に切り替えます。その川崎のメーカーさんに営業を業務委託してもらう形で、成果報酬をいただくんです。茂木さん、メーカーさんに連絡とれますね？　念のため、マイクも二台、色違いで取り寄せておいてください。で、なんらかの方法で取り引き先を特定したら、先方にZoomミーティングをメーカーの営業代行会社として持ちかける。まずは、茂木さんが商品をプレゼンし、篠原さんが通訳する。加藤さんが実際に歌ってみせて、なんならご購入者限定オンライン講師を名乗り出る。もちろん、成果報酬は加藤さんが総取り。失敗しても何一つ損はありません。なにより、あいつのメルボルンとのやりとりが終われば、中庭は使える。これでどうでしょう？」

「えー、そんな、悪いよ!!　でも今、臨時収入は正直嬉しい」

加藤さんが飛び上がったせいで、話は一気に現実味を帯びた。酔いが徐々に醒めてきたらしい篠原さんが眼鏡を外し、おしりふき用シートを使って拭きながらこう尋ねた。

「上島さん、１０１号室のパソコンをハッキングとか、できないの？」

どこと契約しているとはっきりとは教えてくれないが、上島さんはおそらく現在、大手銀行のシステムを担当中なのだ。彼女は顔の前で手をぶんぶん振り回した。

「はあ？　私？　無理無理。あのね、そういうのね、エンジニアへの偏見ですからね！」

何か思い出したのか、上島さんはプリプリして演説を始めた。

「言っとくけどね。ハリウッド映画みたいに暗い部屋でキーをタン、タン、タシーン、はいロック解除、なんてまずありえないから。最近はどこもハッキング対策に命かけててセキュリティのアップデートこまめだから、簡単にホールは狙えないよ。欲しい情報があるなら、アナログな攻め方が断然理にかなってるって言われているよ。セキュリティ担当者をストーカーして油断した一瞬を狙うしかない。例えばスタバでパソコンを立ち上げた瞬間に後ろから覗くとか、向かいの建物から望遠鏡で、自宅で持ち帰り仕事しているところを覗くとかさ。私にやれることがあるとしたら、そうだなー、Ｚｏｏｍでプレゼンするときの他社商品との性能を比較するパワポ、あと、アニメーションを使った豪華な背景画像ならササッと作ってあげられるよ」

「じゃあ、それ、任せます」

ようちゃんが言うと、上島さんは大げさに胸をなでおろした。いつの間にか、ようちゃんが司令塔になっているので、三穂は誇らしく、いかにもコバンザメ風に提案した。

「あの家、望遠鏡で向かいの我が家から覗こうか？　犯罪かな？」

「麻里にわざとボールを投げさせて101号室の窓を割らせよう。ボールには高性能超小型カメラを仕込む。ほら、うちの店のナンバー1につきまとってたストーカーがさ、更衣室に忍び込んで昔仕掛けてたあれと同じやつにする」

「加藤さんがすぐに見つけて警察に突き出したやつ？ そうだなあ、うーん、仲良くなって、家にこんにちはっておじゃましまして、なにげなくパソコン覗くとかがまだ現実的じゃないかな？」

「三密避けろって言われている時期に、どうやったら家に入れてもらえるっていうの？ ただでさえ警戒されているのに」

奏くんの泣き声がして、この夜はお開きとなった。飲みの席のジョークのはずが全員、妙な高揚が体中ぐるぐるして、なかなか寝付けなかった。


二晩連続で開かれたパティオ6オンライン飲み会には、始まって以来初のゲスト・佐々木さんが現れた。ようちゃんが何食わぬ顔をして、声をかけたのだ。

「あら、ねえ、これ、聞こえているのかしら？ おーい、おーい？」

パソコンの中で、何度も不思議そうに確認して首をかしげて手を振る姿が初々しくて、みんな目的も忘れて、ニコニコしてしまった。全員ヨレヨレの姿なのに対して、佐々木さんだけパジャマにちゃんとカーディガンを羽織り、ショートヘアの前髪をななめになでつけ、淡いコーラルの口紅を引いているので、彼女の周辺だけほのかに発光しているようだった。

パティオ８

柚木麻子

「久しぶりにお化粧しちゃった。見られてもいいように、おつまみもちゃんと作ったのよ。酒屋さんにもお酒を配達してもらって。なんだか両親が生きていた頃みたいね、こういうの、楽しいわ」

そう言って、ガラスの器に盛り付けた彩りのよい和え物や、中庭で育てたバジルを使ったサラダ、一輪挿しに飾ったモッコウバラ、ハーフボトルの白ワインをいちいち画面に向けてくるので、誰もが本心からそのマメさを褒め称えた。

「ようこそいらっしゃいました〜！　パティオ〜６〜全員〜集合〜!!　今夜は〜朝まで〜全員〜酒豪！」

加藤さんがコールと手拍子で景気良く盛り上げ、佐々木さんは江戸切子の小さなグラスをはにかみながら傾けた。目元が早くもほんのり染まってきている。

「聞きましたよ。うちの店の向かいの八百屋さんから、佐々木家はとっても仲良しなご家族だったって。ご両親ともにご自宅で佐々木さんが看取ったんですよね」

ようちゃんがさっそく切り出した。佐々木さんは大地主の一人娘で、この近所で一番大きなドラッグストアは、一家が暮らしていたお屋敷の跡地に建ったものらしい。

「まあね、遅くできた子だったからとても甘かったの。このマンションもね、80年代にいずれ私に残すために建ててくれたんだけど、中庭をつくりたいなって私が言ったら、その通りにしてくれたわ。今はあんまり見ないけど、あの時はテラスハウスみたいな物件がすごくブームで……。あ、みんな知らない？『金曜日の妻たちへ』って」

昔を懐かしんで目を細める佐々木さんに全員、首を横に振った。上島さんが『雪の宿』

をバリバリかじりながら尋ねた。

「なんか不倫ドラマですよね。名前しか知らないかも」

「家と家は離れているけれど、テラスみたいな共有スペースがあって、そこで飲み会をしたりするんじゃなかったかしら。それから、パティオっていう中庭が流行り出したの。それぞれがプライバシーを守りながら、ちょうどいい距離感で親しくできるでしょ？」

「でも、住人同士で不倫してドロドロになるんだったら、距離近すぎたんじゃないんですか～？」

「あの頃はどのドラマもすごくお金をかけていたの。だから、設定や小道具がそのまま社会現象になったりしたのよ」

「へえ、大家さんってけっこうミーハーだったんですね、意外」

加藤さんがからかうと、佐々木さんは恥ずかしそうに笑った。

「そうよ。そのときそのときの楽しいことに飛びついてふわふわしているうちにいつの間にかこの齢になっていたの。このＺｏｏｍっていうの、面白いのね。お勉強して次は私が呼ぶ側になってみようかしら？」

瞼が重たそうになっている。聞くなら今だ、と画面越しにみんなで素早く、目配せを交わした。

「あのう、１０１号室のご夫婦のことなんですけど、どんな方なんですか？」

篠原さんが丁寧に尋ねるなり、上島さんがいかにも善人ぶって目尻を下げてみせた。

「ほら、中庭のことでもめたから、わだかまりを解きたくて……。これをきっかけに仲良くなろうとおもっているんです。夫さんの勤め先は○○の営業担当であってます？」

普段なら絶対もらさないであろう個人情報だが、佐々木さんは子供のようにこっくり頷いた。

「でも、そういえばねえ、ご夫婦で一緒にいるところを実はあまり見たことがないのよ。奥様は確か専業主婦だったはずよ。そうそう一度だけ、越してきたばかりの時に、この近所にお惣菜を売っているお店はありませんかって私に聞いてらしたの。お料理をする習慣がないんですって。だったら、お向かいの三穂さんと洋子さんが商店街でやっているお弁当屋さんはどう？　ってすすめたことがあるのよ。あの方、お店にきたことない？」

三穂とようちゃんは顔を見合わせたが、まったく記憶にない。仲間はずれはよくないと思って、101号室におすそ分けを持っていっても、消え入るような小さな声でインターホン越しに断られてばかりだ。

「今は便利よね。ウーバーなんとかっていうのがあるじゃない。よくご利用されているみたい」

「あ、しょっちゅうこのマンションにきているあのウーバー、あの家か！」

上島さんが何故かものすごく悔しそうに叫んだ。

「きっと、韓国料理だよね。すれ違った時、コチュジャンの匂いがしたもん」

三穂は何度か自転車置き場で遭遇した、配達の若者が保温バッグから取り出そうとしていた、レジ袋に印刷されていたロゴを必死で思い出そうとする。

「私も見た。たしか、あれ、新大久保に本店があるヤンニョムチキンの有名なお店だと思う。ドラマかなんかの影響で流行っているんだよ。店の若い子がよく休憩中に食べてた。これこれ！」

加藤さんが騒いで、真っ赤なタレのからんだチキンと韓国語のロゴが入った特徴的な平べったい大きな箱を画面共有してくれた。篠原さんも上島さんも茂木さんもピンときていないようだった。佐々木さんに至っては早くも興味を失い、うつらうつらしている。彼女の肘にあたって、そっと前に押し出されたモッコウバラの花びらが、はらはらと散っていった。


「こんにちは。向かいの106号室の者です。この間はうるさくしてお仕事を邪魔して、申し訳ありません。住人の代表で、お詫びとしてお弁当をデリバリーしにきました。よければ、ここに置いておきます」

向こうから見えるわけではないが、某有名ハンバーガーチェーン勤務時に身につけた隙のない笑みを浮かべ、三穂はインターホンに向かってまくしたてた。くぐもった男の声がかすかにして、通話はすぐ途絶えた。ドアノブにお弁当の袋をひっかけると、食欲をそそる甘辛い匂いが立ち昇る。

「お気に召したら、住人特別無料キャンペーン中でいつでも配達します！　中に店の名刺、入れておきましたからね！」

三穂は窓に向かって声を張り上げ、しんとした午後の中庭を駆け足で横切った。子供の姿がまったく見えないと原っぱのように広々した空間で、片隅に麻里ちゃんの自転車が打ち捨てられているのがやけに寂しげだった。風にそよぐハーブや芝が青臭く感じられた。105号室から奏くんの「うんち！」と叫ぶ声が聞こえてきた。部屋に戻るなり、身につけていたマスクとビニール手袋をゴミ箱に投げ込み、消毒液を手指に噴射して擦り合わせながら、三穂は窓を細く開ける。ようちゃんを引き寄せて向かいのドアを見張った。しばらくしてから、101号室が周辺をそっと窺いながらむくんだ顔を出し、背中を丸めてお弁当を引き入れるのをバッチリ目撃した。

四十二分後、店用のアドレスにメールが届いた。はっきりとは書いていないが101号室は早くも三穂特製チキンに夢中な様子だ。明日の午後、同じものをもう一度注文したいとのことだった。三穂は小躍りした。こういう流行りの味が濃い食べ物は、絶対に妻さんの方の趣味じゃないと夫婦の雰囲気や風貌から予想したのは、正しかったのだ。

ネットで探したオーソドックスなレシピに、試行錯誤を重ねた成果はちゃんとあらわれた。牛乳に漬けておいた骨つき鶏に、オリジナルの天ぷら粉をたっぷり二度漬けして、からりと揚げる。ヤンニョムだれの作り方は千差万別だが、三穂はコチュジャン、はちみつ、醤油、にんにく、しょうが、ごま油、ケチャップをベースに、梅肉エキスとブルーチーズを足した。

「でもさあ、三穂ちゃん、こんなことして何か意味あるの？　101号室を喜ばせているだけじゃない？　たとえ胃袋をつかんでも、家の中まで入れてもらえるとはとても思えないけど？」

ようちゃんはどういうわけか嫉妬らしきものをにじませている。三穂は洗面所で念入りに手を洗い、音を出してうがいをする。割烹着と新しいビニール手袋、調理用マスクを身につけ、キッチンに向かった。

「私以外に食べさせる時もこんなに一生懸命になるんだね」

悔しそうにつぶやくようちゃんにキュンとして、危うくチキンなんてどうでもよくなりかけた。

「まあ、みててよ。あのタイプは舌じゃない、脳で情報を食べるんだよ。脳の満腹中枢神経をぶっ壊すには、見た目と付加価値。明日の注文ではこのソースを添えるつもり。赤と黄色で思いっきり『映える』」

三穂は本来ならナチョス用の真っ黄色なチーズディップの入った鍋を突き出した。カウンター越しにスプーンで味見をしたら、ようちゃんはしぶしぶと頷いてみせた。

「でも、こんなことしてるうちに、先にみんながぶっ壊れちゃうよ」

ようちゃんの言う通り、中庭が使えなくなったことで、母親たちの疲労はピークに達している。もはや、乗っ取り計画のことなど、酔っ払いの冗談として忘れつつあるようだ。

篠原さんのものらしき絶叫が風に乗って聞こえてきた。

「もう少し待って。あともう一つなにかいる。赤、黄、ときたら、あともう一色欲しい。ねえ、韓国ってキンパあるくらいだから、お寿司もありだよね？」

不満げなようちゃんを制して、三穂は冷蔵庫にすっとんでいき、野菜室の引き出しをあけたのだった。

パティオ8

柚木麻子

みずみずしいアボカドの薄切りで覆われたカニカマとマヨネーズたっぷりのカリフォルニアロール、冷めても硬くならないチーズソース、サクサク感は残しながらもコクのある甘いタレが染み込んだ真っ赤なヤンニョムチキン。我ながら絵の具のように強烈なコントラストである。今日の夕方、101号室に届けたこのお弁当は、もちろん、母親たちにもおすそ分けしているのだが、誰もドアの外を確認する余裕などなかったらしい。その晩のZoom飲み会はかつてないほど活気がなかった。

今日は上島さんと加藤さんのペアで、望くん、麻里ちゃん、涼くんの三人を連れて、近所で一番大きな公園に恐る恐る行ってみたところ、案の定、同じ保育園や小学校に通う仲間たちが、疲弊しきったそれぞれの母親を従えて大勢ひしめいていた。久しぶりに再会した子供同士はおおはしゃぎしてもつれあい、ソーシャルディスタンスどころではなく、早々に引き上げてきたそうだ。篠原さんの参加が一番遅いのはいつものことだが、今夜は元気いっぱいの奏くんを首にぶらさげて現れた。

「もう十二時過ぎだよ⁉」

三穂がぎょっとしてつい言ってしまうと、

「だって寝ないんだもん‼」

篠原さんはわっと泣き出した。奏くんは「ママ、泣かないでぇ」とお日様のように微笑んだ。一日室内で遊ばせていたそうで、仕事がはかどらないのは当然のことながら二歳児のありあまるパワーを発散させることができず、昼寝をしないのはもちろん、いつにも増してまったく寝てくれなかったのだそうだ。大抵はしゃべり通しの上島さんでさえ、今日はやけに静かだなあ、と思っていたら、いきなり彼女の画面だけ暗転した。数分後、上島さんは緑色の顔で戻ってきた。たった今ゲロを吐いたのだという。父親とオンラインで勉強していた翠ちゃんが、弟のせいで集中できない、このままじゃ受験に落ちると癇癪を起こしたのをなだめるのに力尽き、ずいぶん早い時間からいいちこを希釈なしで飲んでいたせいだそうだ。茂木さんは茂木さんで、空気清浄機を求める客が途絶えずヘトヘトで帰宅してみたら、いつもは聞き分けがよい望くんが、ママもパパもうちだけなんでいつもいないの、と泣いて、バイオリンを壁に投げつけた。いよいよ退職の検討に入ったところだという。三穂は深呼吸し、母親たちに厳かに報告した。

「みなさん、今日は朗報があります。101号室のインスタグラムをさっき特定しました。101号室がフォローしているアカウントに、取り引き先らしい海外の企業がいくつかあり、その中にメルボルンに本社がある某ライフスタイルブランドを発見しました」

うつろだったそれぞれの瞳がみるみるうちに輝きを取り戻した。

「この時期にヤンニョムチキンを頻繁に頼むような人間は、絶対にSNSに投稿するはずという読みはあたりました。うちのヤンニョムチーズロール三色弁当は今のところ世界にたった一つ。やつがアップさえすれば画像検索でアカウントを即特定できるから、ずっとこの瞬間を待っていたんです。同じもの、みなさんの家のドアノブにかけてありますから、試食してみてください」

さすが!! とみんな口々に叫び、飛ぶようにして玄関にお弁当を取りに行った。チーズをからめたチキンや寿司を頬張りながら、ようちゃんが画面共有した「イーニッド・ルーム・カンパニー」のサイトをああだこうだと好き勝手に批評しながら、隅から隅まで眺めた。カフェを併設した高級セレクトショップをオーストラリアでチェーン展開し、家電、アロマキャンドル、家具、アパレル、書籍まで取り扱っている。アボリジナルアートの敷物やアクセサリー、日本の包丁やドライヤーも見受けられた。どれもこれも手が出る値段ではないが、なんだかセンスの良い友達の部屋にふらりと遊びに行ったような気分になれる楽しいブランドだった。ようちゃんが、川崎のメーカーの営業担当者を名乗り、英文メールで広報にコンタクトを試みたところ、深夜にもかかわらず、即レスで返信が来た。向こうの時刻にして朝十時であれば、ＣＥＯ自らＺｏｏｍミーティングに参加してくれるとのことだった。拍手がひとしきり終わるのを待って、ようちゃんはそれぞれが押し込まれている分割画面に順繰りに目を配った。

「誰一人欠けてもダメです。明日は全員、参加してくれますか。こういうブランドには、女性の結束に優れた会社はプラスに働きます」

「よし、こうなったら。今から、あしたのトークに備えるよ。半休使う」

　茂木さんが真っ先に胸を張ると、篠原さんはようやくウトウトし始めた奏くんをよいしょ、と抱き直しながら、

「英語しゃべるのも聞き取りも久しぶり。ちょっと耳慣らししとく。これから久々にネトフリで洋画でも見ようかな」

と、つぶやいた。上島さんだけは両手を合わせて拝むしぐさをしている。

「ごめん、この間約束した背景もパワポも実は何も作ってない。朝まで頑張るよ」

「ちょっとでも顔出しするんだったら、パックして寝よう。万が一歌う時に備えて、首にネギ巻いて寝る」

加藤さんは早くも美容ローラーを取り出し、顎に沿わせて転がしている。

翌朝、オンライン上のミーティングルームに集合した母親たちはそれぞれ凜々しかった。三穂もようちゃんも、最近は半分寝起きみたいな彼女たちの姿に慣れていたが、篠原さん上島さんはともにパリっとしたスーツ姿だし、茂木さんはセール時に着用を義務付けられているというハッピ姿が勇ましく、加藤さんはキャスト用の肩の出る華やかなロングドレスと、子供やご近所には滅多に見せない出で立ちには、自信がみなぎっていた。上島さんが徹夜で作った背景のアニメーションは、花びらが舞い散る夜のお花見会場がゆるやかに屋形船の中に変わって最後は隅田川を下っていくという凝った作りだった。みんな今年はろくに桜なんて眺めていないので、うっとり見とれてしまった。

赤い縁の眼鏡がよく似合う四十代前半のアフリカ系女性、イーニッド・ローズさんも同じだったらしい。画面に現れると同時に、まっさきに背景動画を指差し、タッセルのイヤリングを派手に揺らしながら、感動したような声を上げた。

「日本の桜はむかしから大好き、すてきなアイデアですね。みなさん、突然、集まっていただいてありがとう、今はミーティングが立て込んでいて……」

と、篠原さんはすらすらと通訳したが、次の瞬間、その口に小さな手が正面からつっこまれて、目を剝いてえずくはめになった。昨夜あんなに遅くまで起きていたとは思えないほど、はつらつとした奏くんが篠原さんの膝に上がりこみ、その顔をべたべた触っている。

「アイムソーリー、マイサン……」

篠原さんがうなだれると、イーニッドさんはすぐ優しい調子で首を横に振り、背後に向かって何か言った。ベビーシッターらしき若い男性が、彼女によく似た赤ちゃんを抱いて隣に現れた。わあ、可愛い、とみんな口々に言った。

「うちも生まれたばかりの子供がいてリモートワーク中だから、気にしないで、ですって」

篠原さんがほっとしたようにそう続けると、イーニッドさんはこちらを安心させるように何度も頷いてみせた。

「他の日本の企業ともやりとりしているけど、日本人は子供の声を嫌うから、昼寝の時間をみはからって会議している、ですって。みなさんは遠慮しなくても大丈夫そうですねって」

「ノープロブレム!!!」

三穂とようちゃんは同時に叫んだ。

「別の取り引き相手なんだけど、外から子供の声がすると、うるさくて申し訳ありませんと何度も謝るせいで、そのたびに商談が途絶えてしまう。そうなるとこちらも静かにさせなくちゃ、と焦ってしまうんですって」

それ、たぶん私たちのマンションの中庭の音です、とも言えず全員、懸命に唇をひきしめた。茂木さんはやおら例のマイクを手に身を乗り出し、普段とは別人のような笑顔と講談師のような身振り手振りで、よどみなく話し始めた。

「今回おすすめさせていただくマイクは、まさにそんなお子様がいるお宅にぴったりの商品でございます。ブルートゥース対応、小さなお子様が不快に思うハウリング音も最小限に抑えております。室内はもちろん、なにより雨水に強く、な、なんと庭でも歌うことができるんです。自粛が広がる今、まさに我が家がコンサートホールになるすぐれものです。それだけじゃなく、ご覧ください。なんとこのミラーボール、曲に合わせて回転し、点滅数、カラーも柔軟に変化します。ご家族そろって盛り上がること間違いなし！　なにより、お値段、据え置き……」

篠原さんが端からほぼ同じテンションで通訳していく。上島さんの作った他社商品との比較グラフはわかりやすく、イーニッドさんは眼鏡をかけ直し、前のめりになって読み込んでいる。

「オーストラリアでもカラオケはとてもポピュラーです。でも、みんな上手く歌おうというより、歌うこと自体を楽しむという感じ、だって」

篠原さんの通訳を受けて、まってましたとばかりに加藤さんの姿が画面いっぱいに大写しになった。

「歌は上手くならなくてもいいんです！　ちょっとしたコツで、だれでも上手くみせることはできます。私、カラオケアドバイザー・ユリカトウです。おのぞみであればご購入者様全員にオンラインレクチャーをさせていただきます。簡単なカトユリ式歌唱メソッドさえ身につければ、どんな方でも有名シンガーになれます」

艶やかなロングヘアに赤い口紅をばっちり決めた加藤さんが、リアーナそっくりの身振りと目配りでワンフレーズ歌っただけで、イーニッドさんは手を叩き、瞳を輝かせながら早口で何か言った。篠原さんが勢い込んで、こう続けた。

「アフターケアもばっちりってわけですね。心強い、だって。競合他社が何社かあるけれど、ぜひ、あなたがたのマイクの性能を試してみたいし、なにより、ミラーボールの機能も見てみたいだって。夜暗くなってから、外で歌ってみせてくれないかって。明日の夜、他の社員たちと一緒に見にくるって」


　佐々木さんがどうしてもやりたいと言って自らホストを務めたその日のオンライン飲み会は、彼女以外、誰も酒を飲まなかった。上島さんが作った桜のアニメーションを、佐々木さんがしきりに見たがったので今、画面には花びらが浮かぶ夜の川が流れていて、それぞれの顔はパソコンの片隅に小さく押しやられている。疲れ果てた自分たちを直視しなくて済むのでむしろ助かっていた。この間と同じように佐々木さんがうたた寝を始めるのを待って、明日夜のライブＺｏｏｍ中継のことでめいめい頭を抱えていたのである。

「どうしよう。中庭でパソコンの前で加藤さんがガナってたらさすがにバレるっしょ。１０１号室に」

「その間、あいつに留守にしてもらうか……。ダメだ、不要不急すぎる。それか寝てもらうか？」

「あ、いいこと思いついた。三穂ちゃん、チキンに睡眠薬を入れられないかな？」

「ダメダメ、それじゃ犯罪だよ。量を間違えたら死ぬこともあるんだからね」

その時、ここにいる誰のものでもない声がどこからか降ってきた。一瞬、天からのお告げみたいに聞こえた。

「私がライブの間だけ、あの人のこと眠らせてあげましょうか」

一同ぞっとした。それが誰だか、すぐにわかったのだ。桜の舞う夜景でスクリーンがいっぱいなのと、それぞれの分割画面が隅にひしめいているせいで、すっかり見落としていたのだが、一つだけ真っ暗な箱がそこに存在していたことに初めて気が付いたのである。

「いつからそこにいたのか!!」

上島さんが動揺しすぎて、ロボットのようなカタコトしゃべりになっている。

「ええと、105号室の人が入ってきた、ちょい前くらいかなあ」

突然画面に出現した101号室の妻さんは淡々と言って、視線をどこにも向けないでストロング系チューハイを傾けている。篠原さんは今日は奇跡的に奏くんの寝かしつけに大成功し、二十時の段階でウキウキ顔で現れた。と、いうことはやりとりはほぼ全部聞かれていたということになる。三穂は慌てて操作し、画面をみんなの顔が均等に配分されるモードに切り替えた。

「私、Zoom初めてでよくわからなくて、ビデオはずっとオフにしてました。みなさんからこっちは見えないみたいですね。佐々木さん、私たちのこと、もうすっかり打ち解けたと勘違いしているみたいで、今夜一緒にリモート女子会やりませんかって、わざわざうちまで来て、庭のお花をくれるついでに、ミーティングIDを教えてくれたんです」

三穂は、ここまできて絶体絶命かよ、とうなだれた。

パティオ８

柚木麻子

「ストロング系は体に悪いから飲むのやめた方がいいって聞きましたよ。飲み残しの安物でよければ、部屋の前にワインおきにいきましょうか」

篠原さんは気が動転したのか、なんだかズレたことを口走っている。

「けっこうです。ワインならすごく高いやつがうちにあります。私は味とかよくわかんないんですけどね」

１０１号室の女性は顔色一つ変えず、そう応えた。無愛想なのでも高飛車なのでもなく、こういうキャラクターなようだ。すっぴんで部屋着姿だと幼く見え、もしかすると、まだ二十代半ばかもしれなかった。

「カリフォルニアのサンタバーバラで、夫が買ったんです。『カベルネは二度目の恋の香り』の舞台ですよね」

「え、それ、私が初めて翻訳した作品！　なんでそんなこと知っているの⁉」

篠原さんは、手足をばたつかせている。

「みなさん、いつも中庭で自分たちの話してるから……。それにみんな、声がめちゃくちゃ大きいじゃないですか？　立ち話だけじゃなくて、家の中の喧嘩とかお子さんを叱る声まで、いろいろ……。ここに来た時から、まる聞こえなんですよね」

「え、そうだったの？」

茂木さんがビクッとして上目遣いになった。三穂とようちゃんもイチャついている時のあの声までもしや、と想像すると顔が真っ赤になった。

「今までみなさん、誰にも注意されたことないんですか？」

１０１号室の女性にとがめる調子は全くなく、むしろ本当に不思議そうだったので、みんなかえって羞恥心が募って小さくなってしまった。自分たちの声がデカいとなると他人のそれも気にならなくなるらしい。そういえば、ご飯を食べたり仕事をしていると、上島さんの怒号が、篠原さんの悲鳴が、茂木さんのうなり声が遠くの方から聞こえてくる。それぞれの家族の声や生活音も絶えることがない。でも、それが当たり前になっていた。

「羨ましい」

彼女はぼそっと言った。

「それって家族の前でも、のびのび振舞っていてそれが認められているってことですよね……」

「えー、そんなことないよ。うちなんか離婚寸前だよ。全然、のびのびしてない!!」

「うちもうちも!! 婚姻オワタ!!」

上島さんと篠原さんが騒ぎ出したら、１０１号室の女性はようやくほんのりと微笑んだ。

「あなたは、違うの？」

と、三穂が遠慮がちに聞くと、か細い声が返ってきた。

「……昔から男の人の前で大きな声を出したことはあんまりないかな。小学生の頃、クラスの女子と話していたら男子から、ぎゃあぎゃあうるさいんだよ、ブスって急に言われたことがあって」

「そのガキは最悪だな!!」

「大きな声でも大丈夫だよ。うちら全員誰も捕まったりしてないしさ。こんな風にうるさいけど、よければ今から仲良くしてよ。ね?」

上島さんがそう言うと、茂木さんも頷いた。

「うんうん、これまで気付かなくて悪かった。誘ったつもりだったんだけど、疎外感感じさせちゃってたね。ごめん」

彼女はなんでもなさそうに、

「いいえ。こっちの問題。昔っから、女子の輪に入っていけなくて。でも、次に暮らす場所では、もう、そういうの変えていきたい」

と、つぶやいた。この口ぶりだと早晩あの家を出て行くのだろうか。せっかく近づきになりかけたのに……。三穂は何か引っかかった。

とにかく、それでも約束は守られた。彼女がどんな手を使ったのかはわからず仕舞だが、翌日の日本時間二十時から始まった、十分にも満たない中庭からの生中継ライブは滞りなく進行し、101号室が乱入することはなかったのである。

開始時間を迎えると、ミーティングルームにはイーニッド・ルーム・カンパニーの社員が三十人近く入室した。篠原さんの照れをふくんだぎこちないMCが、かえって彼らの期待を高めたようだ。

「レディースエンドジェントルマン、ユリ・カトウ　シングス。ゼン　プリーズ　ヒア。ミーシャ、エブリシング……」

加藤さんの存在を引き立たせるために、パティオ6の面々はZoomから一斉退出して、中庭に面した窓に駆け寄った。バーベキューセットの網の上に置いたノートパソコンの前で、肩出しのドレス姿で頭にターバンを巻いた加藤さんがマイクを握り締めている。茂木さんの言っていた通り、音楽と同時にマイクと一体化したミラーボールが回転し始めると、闇に沈んでいた中庭全体が色とりどりのライトで照らし出され、銀河を泳ぐ宇宙船内のような巨大空間が出現した。加藤さんはそのど真ん中に立ち、照れがいっさい感じられない表情で瞼を軽く閉じると、壮大なオーケストラが奏でるイントロに身を委ねながら、気持ち良さげにフェイクを響かせている。溜めに溜めた後の決壊するような歌い出しは、完璧なタイミングだった。

「すぅれ違う、時の中でぇぇ〜」

三穂とようちゃんは興奮のあまり窓辺で抱き合った。それぞれの家庭の子供たちがゆっくり左右に振るペンライトの光が窓から漏れ、銀河に連なった。翠ちゃんの奏でる電子ピアノ、望くんのバイオリンも追いかけてきて、ともすると無機質になりがちなカラオケ間奏に彩りを加えている。加藤さんは本人も言うように完璧なディーバというわけではないが、酒焼けした哀愁のある歌声は、心の襞をかきわけて聴き手それぞれの思い出をぐっとつかんで揺さぶる力があった。

「あなぁたとめぐぅり逢えた〜　不思議ね　願った奇跡が　こんなにも側にあるぅなんて……」

隣のようちゃんをちらっと見たら、なんと涙ぐんでいる。どちらからともなく指を絡ませあったら、出会った頃を本当に思い出してしまって、その晩の二人はおおいに燃えた。

あとから聞いたところによれば、この夜、母親たちは全員、五日間中庭を使えなかった緊

パティオ８

柚木麻子

張と疲労のせいで、死んだように爆睡していたということである。

　朝起きると、妻は本当に姿を消していた。そればかりでなく眠い目をこじ開けたくてなんとなくスマホをいじっていたら、ほぼ決まりかけていた取り引き先から、急に別メーカーと契約したため白紙にして欲しいという英文のメールが入っていた。舌打ちしながらソファから身を起こしたら、何かにつまずきかけた。床に転がっていたその瓶は新婚旅行で訪れたサンタバーバラのワイナリーで購入したビンテージワインだった。頭がズキズキして、舌の付け根に澱がこびりついていた。

　部屋中、掃除が行き届いていて、テーブルの上は何事もなかったように片付いていた。どうせ、すぐに帰ってくるだろう、と宮本は自分に言い聞かせ、浴室に向かう。妻の実家は九州で、このご時世、帰省は難しいだろうし、行くあてが他にあるとは思えない。ふた回り近く年下の妻は、出会った頃から友達がまったくいなくて、そんなところが一緒にいて落ち着いたのだ。

　――口にあわないかもしれないけど。

　そう言って、彼女が昨晩用意したのは、カプレーゼ、バジルのパスタ、鶏肉の香草パン粉焼きというメニューで、止めるのも聞かず、いきなり大切なワインのコルクを抜いてしまった。テーブルには大家さんからもらったという黄色いバラが飾られていた。彼女はキャンドルを灯すと、部屋の明かりを急に消した。妻の料理を食べるのは久しぶりだった。最初に作ってもらった時、得意でないことがありありとわかる味だったので、今後は出前をとろう、と宮本は提案した。以来、それぞれ好きなものを好きな時間に注文するか、出来合いのものを買っておくようになり、いつの間にか食事は別々に、宮本はキッチンでパソコンを見ながら、妻は別室でとるようになっていた。険悪なわけではない。年が離れているから、言い争いに発展したこともない。自粛生活が始まってからも、よその夫婦のようにお互いの存在を邪魔に思うこともなかった。子供に関しても、君が欲しいならいつでもいいよ、というスタンスだった。宮本は昔から他人に譲るおっとりした性格で、妻になにかを要求することはなかった。

久しぶりに向かい合って食べてみると、妻の料理はそうまずいわけでもなかった。アルコールを飲むとすぐに眠くなる体質なので普段は避けているが、思い出のワインをあけてしまった以上、ついついスピードも量も増してしまった。何故ワイナリー巡りをしたかったかといえば好きな映画の影響であり、何故ビンテージワインを買ったのかといえば、ラベルがしゃれていて、SNSに投稿したかったからだ。美味しい食べ物や話題の店を載せる宮本のインスタグラムはフォロワー数もいいねの数も多い。

——これが、最後の食事だよ。私はもう出て行くね。離婚届はあとで送ります。

ワインをやおら飲み干した後、妻が表情を変えずに言った。やれやれ、何を莫迦言ってるんだ、と笑って流そうとしたが、すでに眠くて眠くて、仕方がなくなっていた。アルコールのせいか、妻は別人のように饒舌で声がよく通った。

——庭からお母さんたちを追い出したでしょ。あの人たちが大変なの、ちゃんと知ってるくせに。どう考えてもお母さんやお父さんたちの方がぜんぜん声が大きいのに、大人を注意するのが怖いから、子供を人質にとったんだよね？

——なに意味わからないことを言っているんだ。仕方ないだろう、申し訳ないとは思うけど、こっちは大きな仕事なんだよ。ああ子供がうるさくちゃ、取り引き相手にも迷惑だろう。

宮本なりにどう伝えるべきか悩んだのだ。会社でも気を遣いすぎ、言いたいことの半分も言えない性格だ。中庭にしたって、絶対に使うなとは言ってない。宮本は誰にも一度だって、なにも強制などしていない。

——ねえ、前から言おうと思っていたんだけど、どうして、そこまで子供の声だけ気にするの？　あなた、別に神経過敏な方ではなくない？　新規の取り引き相手の前でもヒゲは剃らないのに？

思わず、顎をなでたら、ふさふさとした重みがあった。リモート会議する会社の男たちも、みんな身なりにかまわなくなっていたので、特に気にしたことはなかった。

——音も立てずに、育児するなんて、生きていくなんて、無理じゃないのかな。

意識が落ちる寸前、妻はワイングラスをゆっくり回しながら、こうつぶやいた。

——本当にそこまでうるさかったのかな。

グラスの縁が一箇所だけピカピカと光っている。ロウソクではない。どうやら、カーテンの隙間から入ってくる明かりのようだった。それが赤、青、黄、緑と次々に色を変えていった。やがて妻の広いおでこも、部屋全体も、原色の輝きに染め上げられていったような気がしたのだが、あれも夢の一部だったのだろうか。

宮本はシャワーを浴びた後、久しぶりにヒゲを剃った。顔が軽くなったら、なんだか寒々しく心もとなかった。相変わらず家の中はしんとしている。妻とは生活を分けていたせいで、もともと静かな空間ではあったが、人の気配が一切しないとなると、真空パックに押し込まれたみたいで息苦しかった。

晩餐で飾られていたバラはどこかに消えていた。

ラジオをつけてみたが、キャスターの声がよく通るせいで、空洞の大きさがさらに強調されるかっこうになった。壁紙は白く、天井にも床にも傷一つない。蛍光灯で照らし出されたこの無菌状態の空間で生まれた時から一人で暮らしてきたような気がした。そして、これからもずっとずっとそれは続くのではないか。

ふいに、中庭から子供の声がした。取り引きが終わったことはまだ誰にも話していないはずなのに、妻が勝手に大家さんへ使用解禁を申し出たのだろうか。

子供たちの笑い声が聞こえて来る。自転車の車輪が回転している。ボールが芝生をはねる音がする。自分以外誰もいないリビングに、次々とこぼれてくる光の粒のような音は、宮本をいいようのない不安からほんのいっとき救ってくれた。妻の、いや、美和の言う通りだった。どうしてあんなにも耳障りに感じたのか、宮本は自分で自分がとても不思議だった。

緊急事態宣言以降、東京の感染者が初めて五人以下にまで減ったと、ラジオは告げている。

ケンブリッジ大学地味子団

ヘレン・オイェイェミ
上田麻由子＝訳

差出人：ウィラ・リード〈stonecoldwilla@hotmail.com〉
宛先：ダヤン・シャリフ〈okinamaro1993@gmail.com〉
日付：二〇一二年十一月十二日、十八時二十五分
件名：来たれ、同志

ダヤン様

ケンブリッジ大学にあまた存在するクラブ、学生会、研究会、利益団体、活動支部、その他団体のなかに、兄弟団《ブラザーフッド》に真っ向から対立して生まれた姉妹団《シスターフッド》がある。人数は少ないものの、それを補ってあまりある勇猛果敢な姉妹団＊1、その名を地味子団という。地味子団について論じるにはまず、大学のなかにまさしくこのように団結した、時として戦うことも辞さない女性たちが存在せざるを得なくなったのが、ひとえにベトンコート団のせいであることは指摘しておかなければならない。

ケンブリッジ大学地味子団

ヘレン・オイェイェミ

ベトンコート団は一八七五年からある団体だ。ベトンコート団員が「フランシスコ会修道士」とも呼ばれているのは、団員に選ばれるにはアッシジのフランチェスコのように鳥も獣も手なずけられるほどのカリスマ性を持っていなければならないからだ。毎年、春学期が終わると、団の宿舎では晩餐会が開かれる。モードリン通りにある小さな館《やかた》で、ここはヒュー・ベトンコートによってベトンコート団の活動のためだけに使うという条件で大学に寄付された。ベトンコート団の名を聞いたことがあるならすでに知っているかもしれないが、ベトンコート団員に招かれないかぎり、女性はこの館には入れない。ベトンコート団員が館に女性を招けるのは、年に一度のこの晩餐会のときのみ。そして晩餐会に招かれるのは、とびきりの美人だと彼らが認めた女性だけだ。

地味子団は一九四九年になってはじめてできた。初代団員の女性たちは、ベトンコート団のことを知ってはいたものの、フランシスコ会修道士と呼ばれる彼らが従っているという基本理念にはあまり感心できないと思っていた。年に一度の晩餐会については……うーん、おれたちこんなにきれいな女の子を夕食に連れてこられるなんて社交的だよなと、お互いの背中を叩きあうことに時間を費やすなんて、頭はいいのに妙に自分に自信がない人たちだな。でも、誰だって好きに時を過ごす権利はある。そう、初代地味子団員とベトンコート団とのあいだには何の問題もなかった――ジャイルズ・ラザフォード（一九四九年ベトンコート団長、古典学博士号取得候補生）が詩作に行き詰まるまでは。おれに必要なのは、トロイのヘレネーが美そのものを想起させるがごとく、名前を見ただけで醜さという概念が喚《よ》び起こされるような女子に目を向けることだ。ジャイルズ・ラザフォードの詩にとって幸運なことに、折しもケンブリッジ大学で学位を取ろうという女性たちの最初の波が訪れていたところだった。そこで彼は、女子学生たちにいやらしい目を向けてみることにした。ラザフォードはベトンコート団の同胞たちに次のような任務を与え、大学に放った。「兄弟たちよ、わが大学のなかでひときわ地味な女子を見つけるのだ。くまなく捜せ。女の顔かたちをスケッチして持ってくるまで手を休めるな。特にガートン・カレッジは念入りに調べろ。あそこにはその手の女がいそうだからな」[2]。ベトンコート団員はニューナム・カレッジとガートン・カレッジをすみずみまで捜して、偉人の卵を大勢見つけた。そして彼らはケンブリッジ大学にいるとりわけ地味な女子たちをリストにまとめた。のちにこのリストが、年に一度のベトンコートの晩餐会に招待されたひとりの女性の手に渡ることになる。この女性はリストを盗んで、自分と同じように晩餐会への招待を受けた他の女性たちを捜し出した。そういう女性たちを大勢集めて地味子のリストを見せて回ると、こう尋ねた。「みんな、こんなリストがあっていいと思う?」

「いいえ、いいはずがない」と、他の女性たちは答えた。「だって、ここはケンブリッジ[3]なのよ――ここに来てまでこの手のことに煩わされるなら、もう他にどこ行けっていうの???」

　リストに載っている人たちを巻き込むかどうか、彼女たちは迷った。そこには彼女たちの友人の名前もあったので、知れば気分を害するだろうと思ったからだ。こんなリストに自分の名前が載っているなんて、誰が知りたいだろうか? しかし結局、彼らに対抗する力を集めるには、引き込むしかないと判断した。思いやりを尊重してすべてを明らかにすることを避けたところで、結局は痛い目に遭うだけだ。リストに載っていることを最初に知らされた地味子、モイラ・ジョンストンは、それまで暇を見つけては取り組んでいたプロジェクト——爆弾づくり——を一時中断しなければならなかった。彼女はある特定の種類の爆発がどんな影響を及ぼすのか調べているところだったが、自分の構築したモデルを阿呆たち相手にぜひ試してみたくなったのだ。他の地味子たちも同様の反応を見せたものの、ほどなくして一同はある単純だが効果的な仕返しをすることに落ち着く。この仕返しの計画を一緒に練っているうちに、気づけばベトンコートの晩餐会に招待された女性たちと地味子たちはおおむねお互いのことが好きになり、相手のしていることに興味を持つようになっていた。そこで彼女たちはひとつの団を名乗ることにする。そして、どちらのリストにも入らなかった女性たちの支持をも得るにいたった。この新しくできた団の団員たちはみな、地味子と名乗った。

一九四九年のベトンコート団の晩餐会は和やかに始まった。シャンパンを飲み交わしながら、招待された女性たちが丁重にもてなされ、あちこちで男女がじゃれあい、さまざまな意見が滔々と語られた。この晩のために雇われたウェイターたちが給仕するなか、ベトンコート団員が女性に何か異議を唱えるときは、必ず相手のドレスを褒めて言葉を和らげ、晩餐会の本来の趣旨を女性たちに思い出させるようにした。ああ楽しい！　少なくとも男の子たちはそう思っていた。しかし、ウェイターたちが最初の一品をテーブルに運ぼうと準備していたとき、隣の部屋からがしゃんという大きな音が聞こえてきて、その楽しみに水を差す。ラザフォードが晩餐会のヘッドウェイターを呼び止めると、彼は「ちょっと妙なこと」が起こりましたが、まもなく給仕が再開されますと答えた。コースが始まるのを五分待つくらいどうということはなかった――お世辞がもう何度か言われ、シャンパンがもう何杯か飲まれた――しかし、まだ始まらないのかとヘッドウェイターに尋ねると、彼はおどけた様子でこんなことを尋ね返してくるのだった。「幽霊っていると思いますか？」

ウェイターたちが料理を皿に盛っていると、調理場の明かりがふっと消え、また灯った。そして隣の部屋から足音が聞こえてきた。と、その部屋の壁にかけてあったヒュー・ベトンコート卿の肖像画が、どすんと床に落ちた。ベトンコート団の男たちはこの話を笑い飛ばしたが、女性たちは青ざめ、少し食欲がなくなった。明かりが消えたとき何が起こったか、誰にもわからないじゃない。ベトンコート団の男たちの笑い声はさらに大きくなった。どんなに賢い女性でも、馬鹿なことを言ったりするんだな。しかしコースの一品目が終わって二品目を待っているとき、同じようなことがまた立て続けに起こった――足音がして、物が落ちる。今回は食堂のフロア全体で音が聞こえた。ベトンコート団の男たちは笑うのをやめて、幽霊だろうがなんだろうが侵入者を捕まえてやると、武器になりそうなものを捜した。女性たちは彼らより一足先に、ナイフやフォークをはじめ刺したり叩いたりするのに使えそうなものを手にしっかり握っていた。「わたしたちが行って見てきましょうか？」と尋ねたのはリジー・ホームズ。彼女は地味子団の初代幹事だった。

「いやいや、きみたちはここにいてくれ。僕たちがなんとかするから」とベトンコート団長のラザフォードは言って、「だよな？」と何か言いたげな一言を、明らかに気乗りのしていない仲間たちに投げかけた。

「ああ、もちろんだよ……」。ベトンコート団員たちは丸腰で向かわなければならなかった。怖がった女性たちが、氷ばさみひとつ手放そうとしなかったからだ。彼らは揃って二階へ上がっていった。行く手を照らす明かりひとつ持たずに（「われわれは調理場で待っています」とウェイターたちは言った）。彼らは二階の部屋をひとつひとつ調べていったが、誰もいなかった。しかし彼らがぞろぞろと食堂に戻ってくると、そこは招かれざる女性たちでひしめいていた。女性たちはベトンコート団員たちが座っていた席に座り、ベトンコート団員たちが食べかけのまま置いていった皿いっぱいの料理に舌鼓を打っていた。「さあさあ座って、一緒に食べましょう」と大声で言ったのは、地味子ランキング一位に名前を挙げられたモイラ・ジョンストン。ベトンコート団員たちはどうしたものかとラザフォードのほうを見た。ここはもう潔く、素直に応じるしかないと判断した彼は、食堂に新しいテーブルを運んでこさせ、ウェイターに席を作ってもらって、仲間の団員とともにそこに座って地味子たち全員と一緒に食事をした。彼女たちがどんな計画を立てたのか、もうおわかりだろう。その日の夕方、「とびきり美人な」女性の最後のひとりがベトンコート団の宿舎に入るとき、ドアの前にとどまって「いちばんの地味子」の最初のひとりを館に招き入れたのだ。

わたしたちが知る限り、ベトンコート団が地味子リストを作ることはこれ以降なかった。地味子団はしばらく賑わいをみせたが、しだいに団員が減っていった。これは、後の世代の女性ケンブリッジ生が自分たちにレッテルを貼ったり、ベトンコート団（その団員数は一定のままである）に対抗したりする必要をほとんど感じないようになっていったからだ。

地味子団の主な活動は「笑って、おやつを食べて、のんびり《コッチ》する」という旗印のもと行われているが、卒業した団員からの助言に従って、わたしたちは学期ごとに機関誌を作っている。もっぱら後世に残すことを目的としたもので、実際にはわたしたちのほかに読む者はいない。

だからもしあなたも団に参加したいなら、次の質問に答えること。

今日の地味子とは何者か？

あなたがわたしたちの仲間だと思う理由は何か？

あなたの答えが（あなた自身とわたしたちの）世界を開く鍵になるだろう。できるかぎり中身のある、ビガルールな答えを期待している。

連絡を待つ。

ウィラ・リード（美術史三年、ゴンヴィル・アンド・キーズ・カレッジ）
エド・ニャン（自然史二年、クレア・カレッジ）
シオ・アクナー（歴史学二年・エマニュエル・カレッジ）
ヒルダ・カールセン（人間社会政治科学三年、ガートン・カレッジ）
グローニャ・モロイ（法二年、ピーターハウス・カレッジ）
フローデリザ・カスティーオ（コンピューター・サイエンス一年、トリニティ・カレッジ）
そして、

マリー・アドゥラ（現代・中世言語学三年、キングス・カレッジ）

＊1　グローニャが自分のことをそう思っているだけ。ナルシストなところに目をつぶれるなら、いつかは彼女のこと好きになれるかもね。（MA）
つまりマリーはわたしが好きってこと？（GM）

＊2　これはあくまでグローニャ・モロイの想像のなかでラザフォードが言ったとされていることにすぎない。実証不可能！（TA）
けっ、これだから歴史学専攻のやつは。（GM）

＊3　これも実証不可能な会話だよ、グローニャ……。（TA）
シオは口出さないで……。（GM）

ダヤン・シャリフ（英文二年、クイーンズ・カレッジ）が中身のある、ビ、ガ、ル、ー、ルな答えを思いつくまでには何日もかかった。メールを読んですぐに自分も参加したいと思った——実際にはウィラとヒルダに電車のなかで会った直後から参加したいと思っていた——ものの、どんなグループについても言えることだが、地味子団の一員になるためのハードルは、他のメンバーに自分も地味子のひとりだと納得させることにあるのではない。むしろ自分が地味子だと、自分自身に納得させることのほうにハードルがある。ビガルールという言葉の意味を調べてみると、そこには「波長のあうさまざまな色の寄せ集め」と「話がひとつのことから別のことへと、思いもよらぬ形で非常にうまく進んでいくこと」の両方の意味があることがわかった。「波長のあうさまざまな色の寄せ集め」という定義を見て、彼女は学習指導教員のチョードリー教授に言われたことを思い出した。「きみがサフォークの地元仲間と一緒にいるところを見たよ、ダヤン。色とりどりの集団だね！」どういうつもりで「色とりどりの」という言葉を使ったのか確かめようと顔を上げると、彼はにっこり笑っていて、それが「見ていて楽しい」とか「すごく幸せな気持ちにさせる」という意味でもあることが読みとれた。

ダヤン《デイ》は、ヒルダとウィラに会った夜のことを中心に答えをまとめることにした。その夜、彼女はペッパー、ルカ、タリアと一緒に、キングス・クロス駅から電車に乗りこんだ。四人とも汗まみれで、肌はグリッターできらきらしていた——金曜の夜をロンドンで過ごし、これからみんなでケンブリッジに戻ってデイの部屋に泊まるつもりだった。ボックス席の向かい側にはヒルダとウィラが座っていて、レッドベルベットのカップケーキ一個をふたりでシェアして食べていた。カップケーキをまるまる一個ずつ食べるのが怖い女の子がまるまるふたりもいるのを見て、いらいらしそうになるのをなんとか堪えたのをデイは覚えている。彼女はふたりのことも、ふたりが何を怖れているのかも知らなかった。ウィラの栗色の長い髪と、ヒルダの眼が印象的だった。大きなアーモンドのような形の青い眼だ。初対面だったけど、こちらが会釈すると向こうもうなずき返し、それからふたりはもとどおり会話を続けた。どうやら中世と現代の誘拐計画の立て方を比較しているらしい。タリアが美術学校の愚痴をこぼし、ペッパーとルカがその相談に乗っていたので、自分も何か助けになるようなことを言おうとしたそのとき、デイたちと同年代らしき男五人が、ラグビーの歌にあわせて身体を左右に揺らしながら車両のなかをこちらに近づいてきた。実はデイはラグビーのことなんて何ひとつ知らなかったので、正確にはラグビーの歌ではなかったかもしれないが、男たちがラグビー選手のような体格をしていたのはたしかだった。彼らはデイたちをじっと見つめながら、横を通り過ぎていった。そして数歩引き返してきて歌が止んだとき、デイは胃がぴくりと痙攣するのを感じた。何かしでかしてやろうか、それとも何か言ってやろうかと彼らが考えているのがデイにもわかった。もし男たちが何か言ってきたらルカは応戦するだろうし、ペッパーも戦うだろう。そうしたらデイとタリアがするべきは――和平調停？　それはないな。デイには殴ることができるのだから……彼女の両親が学校に緊急で呼び出されたのは二度だけで、どちらも彼女が誰かを殴ったせいだった。殴ったこと自体が必ずしも悪かったわけではない。問題は殴り方のほうだ。デイのパンチは強烈で、しかもほとんど何の前触れもなしに殴る。彼女は静脈を殴った。見ているほうも痛いし、何より静脈へのパンチは相手に尋常ではない苦痛を与える。心臓と肺と脳とを繋ぐ血管がしゅわっと泡立って、ぶちっといやな音を立ててちぎれてしまったのか、なんとか重力の感覚を取り戻そうとあがいても、手足がぴくぴくとでたらめに痙攣しはじめる。ときどき、殴り方を教えてよと妹に頼まれたけれど、それは教えられるようなものではなかった。ただどう殴ればいいかわかっているだけだった。殴るのは不安だからかもしれない、と彼女は思った。その不安を相手も間違いなく感じていることを確かめたかったのかもしれない。ただ、その夜は誰のことも殴る気にはなれなかった。楽しい夜だったし、このまま楽しく過ごしていたかったからだ……。

ラグビー男たちのなかに黒人がふたりいた。どちらもペッパーと目があうと、じろじろ見てしまったことを三人とも申し訳なさそうにしていた。しかし、だからといって喧嘩になるのを避けられるわけではない。デイ、タリア、ペッパー、ルカは緊張で身体を硬くした。そのときおもしろいものが目に入った。栗毛と青いアーモンドアイがケーキを食べるのをやめ、やはり緊張で硬くなっていたのだ。それはさあ逃げるぞというときの緊張のしかたではなく、馬鹿なことは許さないぞと思っているときの気の張りつめかただった。あたりを見回してみると、実はそんなふうになっているのは栗毛と青いアーモンドアイのふたりだけではなかった。車内にぽつぽつと座っている他の人たちも警戒モードに入っていて、携帯電話から顔を上げ、なかには腕まくりしている人までいた。「お前らあっち行けよ」と胸板のがっしりしたラグビー男が促したものの、仲間の男たちは人数的に不利だと悟ったのか、何かしでかしてやろうという思いを飲みこんでその場から立ち去った。彼らがいなくなると、栗毛がテーブルの向こうから身を乗り出してきて「わたし、ウィラ」と言った。青いアーモンドアイはヒルダと名乗ると、唐突にこんなことを言いだした。「わたしたち、小さいころ一緒に水疱瘡になったんだ」

「ああ」とルカが取り澄まして言った。「だからふたりは仲が良いんだね」

ウィラはその間違いを正した。「いえ、わざとなったわけじゃなくて……」

ウィラは本物のお嬢様だった。庶民の英語を話そうとしていたけれど、途中でボロが出てしまっていた。駅に着くとヒルダはみんなのほうを向いて、こう尋ねた。「みんなケンブリッジ生？」

タリア、ペッパー、ルカは口々に、まさか！　ありえない……と言ったあと、三人全員でデイを指さした。「この子はそうだけどね、ミス上流階級……」

「そうやって人に悪意ばかり向ける人生ってさぞ楽しいだろうね」とデイは言った。

ウィラはデイにメールアドレスを聞くと、また連絡すると言った。「今度みんなでのんびり《コッチ》しましょう」

コッチ？　何か性的なことかな、とペッパーは思った。ルカは「乗馬関係のことじゃない？　いかにも馬とか乗ってそう」と言った。タリアはただくすくす笑っていた。

電車での出会いを振り返ることで、どうしてデイが自分を地味子かもしれないと思うのかという質問にはまあ答えられたものの、地味子とは何者かという質問にはまだ答えられていなかった。デイは二年生の今年こそ、ひたむきに勉強しなければならなかった。去年のように試験で惨憺たる結果を残すわけにはいかなかったので（ペッパーに会いにオックスフォード・ブルックス大学に行っている時間が長すぎた）、地味子とは何者かという質問について考える前に、まずは単位を取るため一生懸命勉強する必要があった。毎日時間が許すかぎりたくさんの課題図書に目を通し、メモを取り、わからないところは参考文献にあたる。ディにはクイーンズ・カレッジの血が流れていた。父親も通ったカレッジだったからだ。父親のころは入学するためにわざわざ何千キロも飛行機に乗ってこなくてはならなかったのに対して、彼女はせいぜいサフォークから出てきたくらいだった。クイーンズ・カレッジの図書館は、夜遅くの雰囲気がいちばんいい。窓のステンドグラスに描かれた像たちもこの時間はうとうとと微睡《まどろ》んでいるようだ。机にひとつずつ置かれたランプがオレンジ色の光を落とし、その光はボールのように床の上をそっと転がっていく。そして光は集まってひとつの大きな丸い塊になると、左右にぽんぽん弾みながら上階へと続く階段を登っていく。その光景をぐるりと見回していると、まるでステンドグラスの像たちが見ている夢を眺めているようだった。そしてディもまたその夢のなかで、夢見たとおりの生活を送っている。彼女は伸びをして、ため息をついた。たしかにわたしは夢見がちな女子だけど、はたして地味子といえるのか？　妹のアイシャはマレー・エドワーズ・カレッジに入るため猛勉強している。それは彼女たちの母親が出た大学だった。

ディのため息は少し大きすぎたようだ。何台か向こうの机に座っていたハーキュリーズ・ディメトリュー（法学一年）が顔をあげて、こちらに微笑みかけてきた。彼女は目を逸らした。嫌味だと思ったからとかではなくて、厄介な相手だったからだ。原因はすべてディのほうにある。ベトンコート団員に選ばれているのを知っていて彼を好きになってしまったのだ。背が高くて、体格が良くて、髪はウェーブしていて、歯がきれいで、何があっても動じない落ち着きを持っている。近くで見るとぽつぽつとにきびがあったけれど、そのことは何の気休めにもならなかった。一目見ただけでは人種がはっきりわからない肌のトーンをしているので、昔のディズニー映画好きの両親に育てられた小さな子どもが近くにいたら、駆け寄ってきて「あなたアラジン？」と尋ねただろう。そうしたら彼はまばゆいばかりの笑みを浮かべて、きっとこう答える。「いや、僕はヘラクレス《ハーキュリーズ》だよ」。

ストックウェル出身のヘラクレス《ハーキュリーズ》は自信満々だ。そんなところも魅力的だと思っていることを、デイは誰にも打ち明けられずにいた。ハーキュリーズのほうからは話しかけてきたけれど。彼は友だちと一緒にいるとき、すれ違いざまに「バーで会おうね」と、こちらも友だちといる彼女に声をかける。するとマイクとかダラとかジローとかが彼女のほうを振り返って「で、本気でこいつとバーで会うつもり？　それとも会うのはベッドの上かな？」みたいなことを言ってくる。最悪。ハーキュリーズ・ディメトリューに話しかけられると、デイの心臓はどきどきとうるさく鳴り、腰がうずく。彼女のほかの部分が彼について知っていることとなんておかまいなしに。彼はどういうつもりなのだろう？　デイは本気で自分の見た目に魅力がないと思っているわけではなかった。十人並か、それ以上に見えることもある。気に入らないところは二つあって、まずは眼鏡。それは多くの場合（彼女自身も含めた）人々に、セクシー司書みたいな効果を間違って期待させてしまう。ほら、眼鏡を外して髪を下ろしたら、真の姿があらわれる……みたいな。ないない。彼女の足のサイズもまた、やたらと大きかった。月光の上は歩けないくらいに。完璧なプロポーションを持つハーキュリーズ・ディメトリューが、どうして彼女と仲良くなろうとし続けるのか？　さっぱりわからない。卑劣なベトンコート団がまた例のリストを作っているのでないかぎりは。

若き英雄はまだこちらを見ている。ディは眼鏡を外して、きれいに掃除してからかけ直し、何段落かパソコンに打ち込んだ。

地味子とは何者なのか？　母親が新しい男と付き合おうとするたびに、相手を徹底的にふるいにかけるのが地味子だろうか？　そういうことをアイシャに任せたら、何もかも台無しになってしまう。あるいは父親と話すより、父親の彼氏と話すほうが楽なときがある場合——これは何子というべきなのだろう。ディの父親はもうモスクに通ってはいなかったけれど、いまだラマダンには断食したし、ディとアイシャが「宗教をないがしろにしている」と突然怒り出すことが何度かあった。娘たちのそういう態度は、きっと母親の影響に違いないと彼は思っていた（これは間違い。どちらかというと父親の彼氏であるアントンの影響だった）。いっぽうアントンはあまり礼儀にうるさくないうえに、ディの父親ほど繊細でもなかった。ディは父親に、友だちのゾーイにはお母さんがふたりいてうらやましいという話をしたことがある——お母さんがふたりともすごくかっこいいなんて奇跡だよねという話をしていたのに、娘が自分の家族をいらないと言っていると受け止めた父親があまりにもしょんぼりしたので、それからというもの、ディはどういうつもりでそう言ったのか何年もかけて説明しないといけなくなったし、言えば言うほど父親とアントンを

ケンブリッジ大学地味子団

ヘレン・オイェイェミ

否定しているように聞こえてくるものだから、しまいには父親もこらえきれずに笑いだすのだった。

ハーキュリーズの隣の机に座っている女の子——たしかラクミナイって名前だ——が彼にメモを渡した。きっと刺激的なことが書いてあったんだろう。彼はそのメモでぱたぱたと顔をあおいだ。でも、ミス・ダヤン・シャリフともあろうものがメモの中身なんか気にするはずがない。当たり前だ。

今日の地味子とは何者なのか？

彼女ははじめてできた彼氏のマイケルのことを書いた。今のところ最初で最後の彼氏だった。彼のことが大好きだったから、別れたあとも愛は冷めなかった。実際、ディの思いは真実の愛に近づいていったとは言わないまでも、より良い愛の形をとるようになってはいた。ふたりの友だちのメイジーが、ユーロヴィジョン・ソング・コンテストの決勝戦が行われる週末に両親が留守にするからと、「仲間のユーロヴィジョン・ビッチたち」のために家を開放した。蓋を開けてみると、仲間はそんなに大勢いなかった。メイジーとディとアイシャだけ。そこにマイケルが、友だちのルカとタリアを連れてきた。メイジーの家の前にタクシーが停まり、そこからシルクのタイトなワンピースに身を包んだマイケルとルカとタリアが降りてきた——しっかりとした厚手の、シルク百パーセントのドレスだ。

メイジーは慌てて玄関に駆け寄った。「えっ？　あれ誰？　あのスプリームスみたいな人たち、今からうちに来るの？　わたしきっと前世で国とか救っちゃったんだな……」

デイがようやくタリアやルカと話せるようになったのは、何時間かたってからだった。そのくらいマイケルしか目に入らなかった。そのときはじめて気がついたのだが、マイケルは彼女が憧れるテクニカラー以前のハリウッド映画のなかから飛びだしてきたみたいだった。お尻を振る歩き方、残酷な嘘と甘い真実を笑顔ひとつで語る唇、宇宙に届きそうなまつげ。もしベティ・デイヴィスとリタ・ヘイワースとのあいだにカリブ人の私生児がいたら、まさにその夜のマイケルみたいな子だっただろう。ふたりは長いあいだ抱きあって、それから外のバルコニーで話をした。「インターネットに感謝しないと」と彼は言った。「ネットがなかったら、ルカやT《タリア》とは知り合えなかっただろうからね。あそこはやばいやつだらけだけど、良い出会いもある……」

彼はペッパーと名乗ることにした。デイの記憶のなかでは、そのあと起きたことはストップモーションで撮ったみたいになっている——二人組でギャロップを踊って、シミーで身体を小刻みに揺らし、スピーカーから爆音で音楽がかかり、歌が空気を震わせて、ビートがまるで頭をどんどんと叩くように響いた。バックビートは身体を預けるハンモック。ビーリング・ア・リング・オー・ローゼズ、パン・フルート、トランペット、ヨーデル——デイはルカと手をつなぎ、ルカはアイシャと、アイシャはメイジーと、メイジーはペッパーと、そしてペッパーはデイと手をつないで、山と積んだ鞄やコートの周りで輪になって踊った。応援するのは、ステージでいちばんがんばった国か、もしくはいちばん変なオーラを出している国のパフォーマンス。ルカとタリアとも仲良くなった。「わたしたち死ぬまで友だちだよね？　ユーロヴィジョンのあいだだけじゃなくて……」

タリアはユーロヴィジョンが好きですらなかった。彼女はデイに会うためについて来たという。「こいつがいつもあなたの話ばかりしてるから」と、ペッパーを指さして言った。

デイの義父であるアントンは、マイケルの名前はなかなか覚えられなかったものの、ペッパーのことは大喜びで歓迎した。マイケルこそ運命の人だと言うたびにからかわれたけれど、デイはただ肩をすくめて受け流した。表に出ているのがいつもペッパーとは限らなかったとはいえ、ペッパーとしてのペッパーだろうが、マイケルとしてのペッパーだろうが、とにかくデイは一緒にいるといつでも元気になれる相手と運命の出会いを果たしたのだ。ふたりはジェットコースターに乗りながらコルネットのアイスを食べて、悲鳴《スクリーム》とアイスクリームをいっぺんにできる自分たちの才能にひたすら磨きをかけた。

それで……地味子とは何者なのか？

デイはルカのことも書いた。鍛え抜かれた身体にピアスをたくさんつけているルカと、初めて一緒に過ごしたユーロヴィジョンの日、彼の髪は身につけたドレスと同じパステルミント色だった。彼とタリアは少し年上で、二十代前半だった。昼間は高級ブランドの洋服の販売員をしているという。「今いるところから羽ばたきたいとみんな思っているけど、誰もが自分で翼を生やせるわけじゃない……だから僕から買うんだよ……」。夜の彼は飽くなき美食家で、どんな興奮がその晩にふさわしいか考えながら、なるべく次の日に苦しい思いをしなくてすむようなドラッグのカクテルを作った。あまりに荒《すさ》んだ夜ばかり過ごしてきたので、自分がまだ生きているのが信じられないくらいだった。「でもここがあの世のはずないし。うわっ、それはないな」。ルカは笑いだしたら止まらないし、身体を上下に揺らしながら大声で笑う。赦《ゆる》すより忘れるほうが得意で、そのことだけは自分でも怖いそうだ。ディの父親が彼を「すごく……傷つきやすい子」と評したいっぽう、義理の父親のほうは「ずうずうしい！」と言った。どちらもしっくりこない。ルカがもう少し若かったころ、両親にしばらく家から追い出されたことがある。少しでもずうずうしくなくなることを願って。しかしそうはならなかった——友人たちの家を泊まり歩いた彼はどんどん傲慢になり、家に戻ってきたときには、まるで家族が彼を迎え入れるのではなく、彼のほうが家族を迎え入れているかのようだった。ペッパーとルカが寝ていることを、ディは知っていた。ルカがストレートの男を追いかけるのが好きなことも。この傾向を、タリアは「ルカの危ないスポーツ」と呼んでいた。ルカは大丈夫だよ、とペッパーは言った。「僕たちがついてるからね」

ああ、それからタリア——Tの話もしないといけない。タリアの美的感覚がいちばん一般受けするし(彼女のYouTubeのメイク講座がペッパーにはいちばん勉強になったそうだ)、他の名前を名乗ったりするようなこともなかった。彼女は落ち着いていて、控えめで、年上の男と暮らしていたが、友だちは誰ひとりその男と会ったことがなかった。年上の男がいることを友人たちが知った唯一のきっかけは、ある週のこと。製作した三部作が五つ売れたうえに、買い手からとても思慮深く、作品の本質を見抜いたメモまでもらって彼女は有頂天になった。しかしその後、買ったのが自分の彼氏だとわかって何日か激怒していたが、次第にその激しい怒りのなかにまた高揚感が混じるようになっていった。彼氏はただ将来有望なアーティストに投資しているだけだよとルカに言われるたびに、タリアは「気をつけないとね」と言って、本当は気にしていないことを匂わせた。タリアは鏡の上にさまざまな場面を描く。彼女の頭のなかでだけしか放送されていない物語の、テレビみたいにドラマチックなツーショットだ。普通は登場人物の顔つきが描かれるところがぽっかり空いているので、鏡を覗き込むと、自分の顔がたちまちその登場人物の顔になる。使う色は白と銀。人物の周りには台本から選んだ言葉がいくつか描かれ、その文字が額縁になって流れるように置かれる、繊細で透明感のある筆遣いが混じり合って渦をなしている。好んで使うのはナレーションだ。

毒見役はちょっと具合が悪かったのです。給料はいいけれど、主人のことを心底憎んでいたので、とうとう食べ物に毒が入っていたその日、涼しい顔でひたすら食べまくり、主人がせめて自分と同じくらい食べるまではこらえました。ご主人様、お腹いっぱい食べてください。さあもっと……。

地味子とは何者なのか？　ルカもそうだし、デイもそうだし、ペッパーもタリアも、ヒルダもウィラも、自分がパーティーへの招待を受けるだけでは飽き足らず、もっともっと、もっとたくさんの人にパーティーに参加してほしいと思う人は誰もが地味子だ。そういうパーティーでペッパーやルカがテーブルの上にのぼって叫ぶ声が、デイの耳にははっきりと聞こえる（デイが思い描くのは、ローマのコロッセオを何個でも埋め尽くせるくらいの盛大な集まりなので、ふたりはきっとメガホンを手に叫ぶことになるだろう）。やあ、みんな。会えて嬉しいよ。地味な獣たち、地味子たち。

送信。

地味子団には決まった活動拠点がなく、そのおかげで謙虚でいられると団員たちは口を揃えて言う。必要なものといえば、せいぜいその月のミーティングを主催する団員の誰かが提供する柔らかい家具と軽食くらいだ。二月のミーティングはデイが主催する番で、このときは『地味子』春学期号の記事について話しあうために開かれた。最新号にはインタビューが二本載る予定だった。一つは銀行強盗へのインタビューで、この人はケンブリッジ大学への入学を辞退したことを今になってなかば後悔しているという。マリーがこの記事を担当している。彼女は後悔のほろ苦さとか、金に貪欲な女性とかが好きなのだ。もう一つのインタビューはマーナ・セミョーノワのもので、彼女は付き合っている女の子を笑わせるために『お涙頂戴』という小説を書いた。ふたりの男性詩人（ひとりは若く、ひとりは中年）がお互いにこれまでの人生のなかで犯してきたありとあらゆる失敗を、今まさ

ケンブリッジ大学地味子団

ヘレン・オイェイェミ

に犯しつつある失敗も含めて、ウィスキーに溺れながら延々と褒めたたえあう。小説の語り手はふたりの詩人が飲んだくれるバーで、セミョーノワはこの本をレブ・ジョーンズというペンネームで発表したため、現代のブコウスキーだと称賛されていた。ウィラは記事のなかでこの『お涙頂戴』を大真面目に受け取るという、セミョーノワの彼女とまったく同じ反応をしていた。おかげでこのジョークのおもしろさが倍増している。エドが書いているのは、彼女が愛読する漫画のはじめのほうの話数で、ヒーローの恋する女性たちが持っている知識のヒエラルキーについての記事だった。有能で、勇気があって、お茶目で、仕事でもその道の第一人者であるにもかかわらず、夜に自分の命を救ってくれたスーパーヒーローが、毎日顔をあわせたり一緒に働いたりしている男と同一人物だということに、決して気づくことができない――そんな物語のなかで生きるのはものすごく変な感じに違いない。「おれに興味を持たない女は『本当のおれ』を知らないだけだ、という考えに固執している人が陰で糸を引いている感じがしない?」

デイはみんなの顔を順番に眺めていった。マリーはタリアと仲良くなれるかもしれない。ふたりとも真面目で形式をすごく重んじるし、身だしなみがいつもきちんとしているから。まあマリーはザイールなまりのフランス語を話すし、ジャケットの袖に腕を通さず肩の上に羽織っていることが多いせいで、タリアよりも態度に迫力があるけれど。地味子団は人数がすごく少ないからリーダーはいないものの、やるならマリーが適任だろう。マリーとウィラは辺りをちらちら見回しながらフランス語で話していることがあって、そういうときデイは自分のワンピースの着こなしにダメ出しされているような気がした。でも、フランス語を流暢に話す人に対して、英語しか話せない人がそんなふうに思ってしまうのはよくあることだよと、エドが安心させてくれた。エドウィナ・カリーにちなんで名付けられたエドは、他の人よりはるかに気楽に付き合える相手だった。彼女とならどんな話でもできる。元ネタが伝わっていないときは、素直にわからないと言ってくれた。ケンブリッジ大学では、お互いの理解にギャップがあることを認める人になんてめったにお目にかかれない。でもエドはもっと詳しく聞かせてと言ってくれる。いたずら好きでボーイッシュなエドは、マリーと同じように黒人で、ウィラと同じようにロンドンっ子だったけど、彼女いわく「違う種類の黒人、違う種類のロンドンっ子」だった——エドやウィラやマリーみたいな人たちは、この大学や地味子団に入らなければ、自分たちが本当にうまがあうと思えるような時間や場所や機会が本当にあるなんて想像もできなかっただろう。というのも、三人とも自分以外はみんな四六時中冗談を言っていると思っていて、その思い込みに従って反応するからだ——ウィラは場違いなほど陽気に、マリーは明らかに幻滅した様子で、エドは表情を微妙に変えたり、半笑いしたりして。そういう反応をされると、話しているほうも笑わずにはいられない。たとえ冗談なんて言っていなかったとしても。

そのいっぽうでシオとヒルダは、冗談だよとはっきり言ってもらわないかぎり、誰かがまさか冗談を言うなんて思いもしない。ネブラスカの至宝であるシオドラ・アクナーは、いまだにヨーロッパの亡霊たちに心をかき乱されている。ヒルダとエドとグローニャにはもう聞こえないその声に、シオは一心に耳を傾けるため、幽霊たちも彼女の周りではふたたび目を覚ますようだ。リスボン、パリ、ウィーンは彼女にとって厄介な場所だ。美しいけれど血がべっとりとこびりついている。そんなシオにオスロに行こうと誘われたとき、ヒルダは首を縦に振らなかった。「わたしの一族の四分の一ほどが住んでる場所だよ、シオドラ。その手のことは自分なりのやり方で知っていきたいの」

それからグローニャ・モロイだ。彼女は地味子団の歴史に「我慢知らずの」グローニャ・モロイと記録してもらおうと働きかけたが、うまくいかなかった。「我慢できることもあるじゃない」とヒルダにつっこまれたからだ。たしかにグローニャは一日に何度もキレるけれど、その熱狂的なエネルギーの陰に、もうひとつの特徴を秘めている。彼女にとって不利なことに、実際はいかに冷静で計算高いかを示す逸話をたくさん持っているのだ。

地味子団の新入りであるダヤンは仲間の団員たちをひとり残らず好きになりかけていたいっぽうで、では自分が団にどんな貢献をしているのかというと、よくわからなかった。団員になってまだ三ヶ月だったし、記事のネタも団としての活動のアイデアもまだ浮かばない。自分が仲間はずれであるという物的証拠を突きつけられないよう、団のみんなのスナップ写真を撮った。新しい団員の勧誘なら、彼女にもできるかもしれない。同じカレッジの友だちや教員に地味子団の話をしたとき、何人かは興味を持ってくれたようだったから。

最年少で一年生のフローデリザは遅刻してきた。みんなの予想どおりだ。「やあみなさん！」と彼女はビスケットをひと摑みして、ディのベッドにごろんと横になった。片側だけモヒカンにした髪を去年の夏から伸ばしていたので、前髪が後ろ髪よりまだずっと長かった。服はしわくちゃで、あきらかに昨日の夜アイラインを落とさないまま寝たようだ。ディがそのことに気がついたのは、フローが恥ずかしい話があるんだけどと言い出したときだった。それは可能性を秘めた話でもあるという。

「話して」とシオは窓際の席から命じた。彼女はディの部屋のカーテンを、ゆったりとした古代ローマのトーガのように身体に巻きつけていた。

「わかった。最初に言っておくけど、わたしを裁く権利はみんなにはないからね……」

「ここには友だちしかいないわよ」と厳しい声でマリーが言った。

フローデリザは、あるベトンコート団員がヨークシャー出身のフィリピン人に夢中になっていることを明かした。「というか、こいつに夢中なだけかも？」と、彼女は自分を指さした。

「うわ」とグローニャが大声を上げた。「フローデリザってば、何やらかしたの？」

ディはてっきりフローとハーキュリーズとの話を聞かされるものだと思っていた。ちょっと吐きそうになったけど、それはただ感情を遮断したからにすぎない。そういう感覚を、この世界のなかで生きるダヤン・シャリフのような人たちは嫌というほど知っている。まだ二月だというのに、春の気配はたしかに訪れていた。デイ以外はみんな何かしらの恋愛関係にある——マリーには大学の外にバイク乗りの恋人がいて、ウィラにはフィッツウィリアム美術館の学芸員、シオにはチャールズ・ディケンズの時代のロンドンを紹介するツアーのガイドがいる。エドとグローニャは付き合っているし、とうとうフローデリザにもベトンコート団員の彼氏ができた。デイはただ、ハーキュリーズ・ディメトリューがこの話のなかでものすごく下品に語られることだけを願った。そうすれば、彼が近くに来てももう二度と身体が敏感に反応したりしないで済むだろうから。

(つい先日、ベトンコート団員とおぼしき人たちと一緒にいる彼とキングス・パレードですれ違ったとき、何かの調査中だったようで、女性たちに意見を求めていた。「ていうかランク付けだな」と彼女がぼそりとつぶやくと、ハーキュリーズはこちらに笑顔を向けて「えっ、何か言った?」と尋ねた。

「なんでもない。こんにちは」

「やあ。あのね、もしよかったら——」

「ごめん無理。じゃあね!」)

フローの話はハーキュリーズのことではなく、同じカレッジにいる三年生のバーニー・チャスケルのことだった。彼がベトンコート団員だと見破れなかったのは「だって控えめっていうか、僕は陰謀論に取り憑かれてるんだって自虐したりするし……かわいいし」

「かわいい!?」部屋のあちこちから声が上がった。デイの声がいちばん大きかったのは、信じられないと思ったからではなく、どういうことか知りたかったからだ。「フロー、ちょっと行き過ぎじゃない？」とヒルダが言った。

「あのさ……ほんと言うとここに来るまで、情報を引き出すためにわざと彼を誘惑したみたいに話そうと思ってたんだ。でも言っとくけど、チャスケルがベトンコート団員だなんて今朝まで知らなかったんだよ！　団のミーティングがあるから急がなきゃって言ったら、彼がさあ……『まさか地味子団じゃないよね？』って言うから、わたしがさあ『うん、そうだけど』って答えたら、言われたんだ。『うける、僕ベトンコート団員なんだけど……』」

『うける』……？　そのバーニー・チャスケルとかいう人、わたしたちの何十年にもわたる敵対関係をお遊びか何かとでも思ってるわけ……？」シオは声に出して不思議がった。

「フロー」とマリーは陰気な声を出した。「これまでのところは、わたしたちの敵が進化して、表向きはより魅力的な形をとるようになったって話だったよね。さっき可能性を秘めた話でもあると言ってたけど？」

「フローデリザ、もし意外なオチがあるなら今すぐ教えないとぶん殴るよ……」とエドも言った。

ただフローは本当に朗報も持ってきていた。バーニー・チャスケルを尾行して、ベトンコート団の宿舎に入るためのパスワードを入力するところを見ていたのだ。遅刻したのはそのせいだという。手順は見たものの、正確な数字まではわからなかった。そこで彼女は建物を調べ、ベトンコート団員が出てくるときは別のドアを使っているのを確認したうえで、隙を見てバーニーが入力したパスワードと思しき数字を三回入力してみることができたのだという。

「ねえ」とウィラは言った。「ねえあなた、三度目の正直ってわけ?」

フローは笑って答えた。「二度目」

グローニャとウィラはわあわあ騒ぎながら彼女に飛びついたが、ヒルダとエドとシオは動かなかった。

「わたしたちがベトンコートの宿舎に入る必要はない」とヒルダがきっぱり言った。シオもこれに同意した。「地味子たちはもう何年も前に決定的な意思表示をしたからね」

「いや、そう言わずにさあ。せっかく手に入れたチャンスを使わないなんて、そんなの馬鹿だよ、間違ってる!」とグローニャが言った。

しかしエドは、ヒルダとシオの肩を持った。「たしかにベトンコートのやつらの頭をちょっと小突いてやったらいい気味だろうけど、それより気持ちを切り替えて、わたしたち自身を高めることに集中したほうがいいと思う。『地味子』に載せる原稿がもっと必要だし……そういえばデイ、何か考えがあるって言ってなかった?」

「わたしは乗り込むべきだと思う」とデイが言った。みんなは静まり返った。デイの言葉は主にマリーに向けられていたのだけれど。まだ賛成とも反対とも言っていなかったからだ。「乗り込んで、本の交換をすべきだと思う」

「本の交換?」と、マリーが聞き返した。

「そう。ベトンコート団の本棚には女性作家の本があんまりないだろうし、もしかすると一冊もないかもしれない。それに全体として見れば、わたしたちの本棚にも男性作家の本ってそんなにたくさんないし——」

「そうね。でもそれって個人の好みだし、おのおのの好みを尊重したいとわたしたちが思っているからで」とヒルダは言った。

「わかってる」とディは言った。「わたしもそう思ってる。でもありとあらゆる本をわたしは読みたいんだ。本ってものは、そこに何を書こうが、そこから何を引き出そうが、全部わたしたちの自由なんだよ。あいつらも自由。だからみんなで宿舎に乗り込んで、どんな本を持っているのか確かめて、何冊かもらって、わたしたちのと入れ替える」

「それなら楽勝ね」とシオがしぶしぶ言った。

「わたしはあそこをめちゃくちゃにする方に一票入れたけど、何かできるなら何でもいいわ」とウィラが言った。「そのせいでフローの芽生えたばかりの恋がダメになっちゃったかもしれないけど」

フローは顔を両手で覆ったものの、バーニー・チャスケルに夢中なことは否定しなかった。

マリーが口を開いた。「わたしもみんなで何かしたい。ベトンコート団に何かしてやるチャンスを待ってたんだ。ベトンコート団員に人間の盾として使われた、大学に来て最初のあの木曜日からずっと……」。彼女は窓の外を眺め、その出来事が起こった瞬間に思いを馳せた。怒りで顔を歪ませながら。

「別の子が、その男の子のことを追いかけていたんだよ」と、グローニャがエドとフローに囁いた。「あいつが女の子とぶつかるなんて思わなくてさ、って言ってた……」

「だから、わたしはダヤンの提案に賛成」とマリーは話を締めくくった。「他にダヤンの提案に賛成の人、手を挙げて」。ディは手を挙げた。フローも、グローニャも、ウィラも、そしてシオも。わたしはみんながちゃんとやれるか確かめにいくだけだから、とシオは言った。

図書館でディは、自分がいつも座っている椅子にハーキュリーズ・ディメトリューが座っているのを見かけた。話しかける代わりに、ハーキュリーズがいつもいる席が空いていたのでそこに座って、ノートパソコンを開いた。彼は三度、こちらを見た。彼女も一度見た。たった一度きり、なのに彼はこちらにやってきた。ああ、そんなに痛々しいほどバレバレだった?

彼はディの机に椅子をひとつ引き寄せると、その角にもたれかかった。何もかもが黒々として、艶めかしく、優雅だった――眼差しは特に。彼女が少しでも腕を動かせば、彼の腕に触れただろう。その手には封筒が握られていた。

「ねえ、ジョン・ウォーターズが好きなんだってね」と彼は言った。

「そうだよ」と彼女は答えた。「で?」

彼の姉はストックウェルで映画館を経営していた……彼はそこを「ポケットに入るくらい小さいところ」だと表現した。姉さんが『フィーメイル・トラブル』のチケットを二枚くれたんだけど……。

「行かない」

「まじで？」

「自分みたいに素敵な人に映画に誘われて、断る女の子がいるなんて信じられない？」

　彼は手を引っ込めたけれど、引き下がりはしなかった。その代わりに、こちらをじっと見つめた。先に目を逸らしたほうが負けなので、デイはまばたきをしなかった。「ジョン・ウォーターズのファンが『フィーメイル・トラブル』のチケットを欲しがらないなんて信じられないって思っただけだよ」と彼は言い、少し笑って視線を落とした。「ほら、二枚ともどうぞ」。封筒を彼女の前に置くと、彼は自分の席に帰っていった。

が、すぐに戻ってきた。「ダヤン、聞きたいことがあるんだけど」

やばい。「どうしてもっていうなら」

「なんでここに来たの？」

「ここって？」

「ここだよ、この大学」

　彼女は入試のとき面接官のひとりであるチョードリー教授に言われたことを思い出した。そうやって心のなかで何かと何かを結びつけて考えるのはいいね。そのつながりがどんどん育つよう、手入れしようとしているところも。誰かにそんなふうに言われたのは初めてだった。たいていは「デイは何でも難しく考えすぎてるんじゃない？」と言われるのが関の山だったから。しかし、わたしは思考を育てる庭師なのだ——それっていいなと思った。

　答えを待っていたハーキュリーズは、痺れを切らした。「ここにどんな学生がいるのか、見てみたかったんじゃないの？」と彼は尋ねた。「僕がここに来た理由のひとつはそれだよ。だからパーティーにもなるべくたくさん顔を出してる」

パーティー？　彼女は微笑まずにはいられなかった。「そう……わたしも同じ」

「だから」と彼は言った。「僕はここにいるし、きみはここにいる。今は僕のこと不愉快に思うかもしれないけど、ひとりの人間として扱ってみたら？　好きになれるかもよ」

「ベトンコート団員」と彼女は言った。

彼はさっと眉を上げて「ああ」と言った。よくわかったという「ああ」ではなく、どちらかというと困惑の滲む「ああ」だった。

「春学期だから。例の晩餐会に連れて行く人を見つけるように言われてるんじゃないの？」

彼にもようやく合点がいった。「きみは地味子団員なんだね？」

「光栄なことに」

彼は荷物をまとめると、図書館を出て行った。頭を振って何かぶつぶつつぶやいていたが、よく聞き取れなかった。ディは封筒から映画のチケットを取り出すと、日付をペッパーにメールした。


ロンドンで『フィーメイル・トラブル』。行く？　それとも行く??

行くーーーーー

ベトンコート団員たちはさまざまな分野の本をよく読んでいる。ひとまずそういう本棚ではあった。刺激的なことが書いてありそうな本がたくさん並んでいるなかで、女性作家の本は全体の十パーセントに満たなかった。本の置き換えは懐中電灯のもとで行うことにした。午前四時に明かりをつけるのはやめたほうがいいと、誰もが思ったからだ。まだ起きているやつがいるなら一杯やろうと、通りがかりのベトンコート団員が入ってきたら大変なことになる。

（玄関ホールに入ると、電気スイッチの隣のフックに各部屋の鍵がかけてあったので、彼女たちはベトンコート団の酒棚も覗いてみた。酒棚というよりむしろウォークイン・クローゼットみたいなところに、強い酒が床から天井までぎっしり詰まっていた。じっくり吟味できるよう小さなはしごまで置いてあった。デイはそんなものはじめて見た）

フロー、デイ、ウィラ、マリー、シオはリュックサックに入れてきた本を取り出して、ベトンコート団の本棚から抜き取った本を代わりにそこに詰めた。持って行こうとしていた本はどれも読んだことがないものばかりだったので、デイはそれぞれのタイトルや著者名を見て思い浮かんだ考えを頼りに交換した。イーディス・ウォートンの小説二冊はヘンリー・ジェイムズの小説二冊と、ルシア・ベルリンの短編集はジョン・チーヴァーの短編集と、エレイン・ダンディの『芽吹かぬアボカド』はダニー・ラフェリエールの『吾輩は日本作家である』と、ドゥブラヴカ・ウグレシッチの『あなたの性格を貸して』はゴーゴリの『イワンとイワンがけんかした話』と、マギー・ネルソンの『ジェーン　ある殺人』はカポーティの『冷血』と、リサ・タトルの『枕の友』は『M・R・ジェイムズ怪談全集』と入れ替える。デイはいちいち記録するのをやめた。この調子で記録していたら一晩じゅうここにいることになってしまう。とはいえ、宿舎を出るころにはなかなか上等な獲物を手にしていた。他のみんなもそうだった。地味子たちはそれから何週間も、新しい本を夢中で読みふけった。ベトンコート団から何らかの挑戦を申し込まれるだろうと構えていたが、何もなかった。団員たちは自分たちの図書室に侵入されたことに気づいてもいないようだった。酒を交換したほうが、まだ効果があったかもしれない。

フローとベトンコート団員のバーニーは、いよいよ本気に付き合いだしたようだった。忌々しかったけど、地味子たちは気にしていないふりをした。下手にロミオとジュリエット・コンプレックスを刺激してもよくない。それに、ベトンコート団からくすねてきた本について地味子たち全員がうすうす感じていたことがあった。シオは読んでいたキム・ヨンハの『光の帝国』のページから顔を上げると、腹立たしげにそれをずばりと言い当てた。

「あの人たち、趣味はいいんだけどね」

ハーキュリーズ・ディメトリューは『フィーメイル・トラブル』の上映に姿を見せなかった。別に構わない。ポップコーンがあってペッパーがいてスクリーンでは神々しい《ディヴァイン》ような邪悪なような騒動が次から次へと起こって、そのうえクッキー・ミューラーがありのままの事実を述べるのだから。わたしたちがかわいいからって、みんな嫉妬してる！

「誰かと会うつもりだった？」映画館を出るとき、ペッパーが尋ねた。「ずっときょろきょろしてたけど」

お客さんの様子を見てたんだ、と嘘をついた。もっともらしい嘘だった。彼女はたしかに客を観察するタイプの人間だった。

部屋に帰る階段の途中で、ハーキュリーズが待っていた。横向きに座って階段の幅いっぱいに脚を伸ばし、足首から先は手すりと手すりのあいだの細長い空間に片方ずつすっぽりはまっている。フローがベトンコート団本部に置いていった本のひとつを読んでいた。『死ぬことを考えた黒い女たちのために』。彼女の姿を目に留めると、慌てて立ち上がろうとして石造りの天井に頭をぶつけた。痛そうだなと思って、デイはすれ違いざまに肩をぽんぽん叩いた。その手を摑むと、彼は後を追いかけて階段をのぼってきた。デイは仕方なく立ち止まった。

「何か用?」

「これ、きみの?」と本をかざしながら彼は尋ねた。

「いいえ」

「でも読んだことはある?」

「まあ」

「これ、すごくおもしろいよね? 心が揺さぶられるっていうか……なんか木々のあいだに吊るされたゆりかごのなかに入って読んでいるみたいな感じで、その木々にものすごい悲しみで揺さぶられるんだ。読み進めるにつれて木々はきみを生かすべきか殺すべきかと考えながら揺さぶっているってことに気づくんだけど、結局、申し訳ないなと思いながら

も その木々はきみを粉々に砕いてしまう……」

「でも、そのあとで欠片《かけら》は全部もとどおりにされる。並べ方は全然違うけど……」

「あまりにも傷が深くて、その新しい並べ方でこの先やっていけるかわからなくなる」

「いずれは癒える。でも癒えるにはまず傷つかないといけない。そう思わない？」

彼はふたたび微笑んでいた。手はまだ摑んだまま。いい雰囲気だった。ベトンコート団の晩餐会に招待されるまでは。びっくりするくらい長いあいだ（少なくともディはびっくりした）言葉に詰まってから、ようやく口を開いた。「行けないよ、ハーク」

彼はひるまなかった。名前を縮めて呼ばれた。何かわけがあるはずだ！

「きみは地味子だ。それが何を意味するのか完璧にわかっていると言うつもりはないよ。でも僕は、ベトンコート団員と地味子団員のものの見方が以前ほどかけ離れているとは思わない。笑って、おやつを食べて、のんびりする、だろ？《コッチ》 それに僕らも機関誌を作っている。団員しか読まない機関誌だよ。お互い読みっこしたらどうかな？ きみの見た目がたいしたことないってふりを僕にしてもらいたがってるのはわかってるけど、きみはきれいだよ。ごめん。だって事実だから。とにかく晩餐会に来てよ。ベトンコート団員に会って実際に話してみてよ。自分たちのこときれいとかかっこいいとか思ってる人たちに会いに来てよ。僕たちは前世紀のベトンコート団とは違う。きっと驚くよ」

この締めのスピーチにはふたりとも笑ってしまった。ディは心ならずも赤くなってしまって、それを彼に見られた。きれいだって思われてる！ なんてすばらしい思い違いだろう。お互いの機関誌を読みっこするというアイデアも気に入った。ディはつい想像しそうになった。身体のラインがきれいに出るドレスを着て、そのささやかな晩餐会にふたりで出かけていって、カリスマ性のある団員仲間や彼らが連れてきた男女と知り合いになるところを。しかしそれと同時に、晩餐会で人々のあいだで交わされる目配せや、評価対象が部屋から出て行ったとたんに囁かれる言葉も思い浮かんだ。本気で……あの子なわけ？あるいは、まあ、いいんじゃない。どちらの可能性にもうんざりした。男子はそもそも、自分がそこにいる資格があると当たり前のように思っている——常にではないかもしれないが、たいていはそうだ。しかし女子の場合「なぜこの子が？」という視線がすかさず投げかけられるのだ。

「自分たちは生まれ変わって進歩したんだとあなたたち自身が思っているのはわかったけど、晩餐会を開いて連れて来た女の子を周りに見せびらかすのって……」

「でも彼女がいるときの人付き合いってそんなもんじゃない？」とハーキュリーズはディの手のひらに顎を乗せ、頬杖をつきながら尋ねた。こいつってば。

「そうだね。まあ、わたしにはよくわからないけど——」

「彼氏がいたことないの？　彼女も？」

デイは彼の手を振りほどくと、つま先立ちして耳元で囁いた。「別の人を誘って」

「嫉妬するくせに」とハーキュリーズが囁き返した。

彼を払いのけ、ディは残りの階段をのぼって自分の部屋のドアに手をかけた。「しませんˊ。おやすみ、ハーク」

彼は両手をメガホンのように口に当て、階段を後ろ歩きで降りていきながら大声で叫んだ。「おれのこと好きなくせに。あいつはおれが好き。理由もわかってないし自分でも信じられないと思ってるけど、ダヤン・シャリフはおれのことが好きだ！」

春学期最後の地味子団のミーティングは、トリニティ・カレッジのフローデリザ・カスティーオの部屋で行われた。ノイシュバンシュタイン城への旅行計画はすでにまとまっていたので、話し合うことはもう何も残っていなかった。そんなわけで、ドヴォルザークの「真昼の魔女」が流れるなか、グローニャは窓辺に腰かけて電子タバコをふかしながらパックをし（「幽霊だ！　もちもち肌の幽霊！」）、フローはディに膝枕してもらいながら『狂えるオルランド』を読んでもらい、エドとマリーはカクテルをつくっていた。シオはグローニャのぶんの飲み物を窓辺に持っていって、戻ってくるときにタバコの煙が気管に入ってしまったらしく、よろめきながらなんとかエドのもとにたどり着くと「ベトンコート団が来た……ベトンコート団の侵略よ！」と興奮した様子でまくし立てた。

フローも一枚嚙んでいたはずだ。きっとそうに違いない。彼女の部屋がやつらに簡単に見つけられるはずがない。実際のところ、あの歴史的な午後に起こった出来事がフローとバーニーが九月から温めてきた計画の集大成でなかったと、誰に言えるだろうか？

人数は少ないものの勇猛果敢な地味子団は、フローデリザ・カスティーオの部屋の窓辺に集まって、男たちの群れを見下ろしていた。飲み物の入ったグラスや、食べ物を盛り合わせにした皿を掲げている者も大勢いる。その先頭では、団長の代わりにストックウェル出身のヘラクレス《ハーキュリーズ》が、力強く、元気いっぱいに、白旗を振っている。

"A Brief History of the Homely Wench Society" from WHAT IS NOT YOURS IS NOT YOURS by Helen Oyeyemi.
Copyright © Helen Oyeyemi, 2016,
used by permission of The Wylie Agency (UK) Limited.

先輩狩り

藤野可織

五月、外は花であふれている。街路樹はハナミズキで可憐なピンクと白が交互に、歩道に沿ってまっすぐに植わったつつじは息苦しいほどのピンク、それがえんえんと続いてふと白のつつじが挟まれるとようやく息がつけるような気がする。車道が交差して歩道が途切れる角のところには額紫陽花《がくあじさい》の巨大な株があって、薄っぺらくてふかふかした葉っぱがクリノリンでふくらませたドレスみたいに車道にはみだしている。公園の柵の内側からは仁王立ちになった白いつるばらが咲きこぼれ、落ちて腐った花がまだ色を残している椿の木は暗い色の葉をぎっしりとまとって武装し、民家の窓はモッコウバラのくすんだ黄色で封鎖され、軒先では育ち過ぎて内側から植木鉢を破壊したアロエが無限に子株をつけ自身を拡張しながら地面に倒れかかり、逃亡を試みている。同じく内側から植木鉢を大きく割り、電信柱にもたれかかりながらまだまだ伸びていこうとしている柱サボテン。柱サボテンの高さには及ばないものの風にふらふら揺れながら人を見下ろす立葵は赤。住宅とマンションとホテルがきっちりと詰まって並ぶ街並みは、ところどころ唐突に空き地があって、いくつかの空き地は背の高い雑草が密に繁って黒々とした森のようだし、いくつかの空き地は平らに均《なら》された砂利のあいまあいまから茎のほっそりしたオレンジ色のポピーが寝起

先輩狩り

藤野可織

きの子どもみたいに頼りなく群生している。閑散とした駐車場では、コンクリートの地面とブロック塀のあいだのごくわずかな土に飛んだ種がやがてたくましい桐の幼木となって、人の頭を覆うほどの大きな葉をたがいを押し除けるようにして繁らせている。

夜、女の子たちはそっと家を抜け出す。女の子たちはにおいたつ花々に目もくれず、ときどきスマートフォンの明かりを使って暗闇を小さく暴きながら歩く。町を網羅する政府公認Wi-Fiは夜間は切断されている。彼女たちは前の夜の口約束を頼りに落ち合い、五、六人のグループとなって行動を開始する。道では必ず別のグループと行き合うが、合流することはない。五、六人なら夜にまぎれて歩くことができるけれど、一〇人や一二人では目立ちすぎる。目で挨拶だけを交わしてすれちがう。グループに加わらず、一人で気ままに歩く女の子もいる。その危険を顧みない、無謀な行為にグループの女の子たちは冷ややかな目を向ける。立ち止まり、私たちに加わってはどうかと呼びかけるグループもある。その親切に応じる子もいれば、軽く手を振って断る子もいる。グループの女の子たちは、立ち去る女の子を疑惑の目で見送る。どうすることもできない。一人でいる権利を侵害することはできないのだと、みんなよくわかっている。

彼女たちはとても静かに行動し、たいてい黙っていて、話すときもとても静かに話す。夜は誰も外に出てはいけないからだ。女の子たちだけが、その禁制を破って夜の中を歩く。彼女たちはみんな、一人の例外もなく女子高生だ。外出するのに制服着用が義務付けられているのは外出許可の出ている昼間の数時間だけだから、夜には彼女たちは思い思いの服を着る。ショートパンツにTシャツでちょっと寒がっている子もいれば、裾の長いワンピース姿の子もいる。かっちりとしたスーツ姿の子もいる。女の子たちのあいだでは、もうずっと、それぞれの家に埋れている祖母や母親や姉の服を持ち出して交換するのが流行っている。

暗い住宅街の一方通行の通りのずっと向こうで、ポピーの揺れる空き地の奥の通りで、夜を煮詰めたような椿の木の前で、公園のたいして高くもない滑り台のてっぺんで、シャッターを下ろされた店舗が無限に向き合うアーケード付きの商店街のそこここで、スマートフォンの小さな明かりが明滅する。彼女たちは閉鎖された高校にも侵入する。閉ざされた門はすっかり葛の蔓と葉で覆われているが、女の子たちだけはかつての門のかたちをおぼえている。その記憶は女の子から女の子へとしぜんと伝わり、剝き出しの門を見たことがない子でさえ、どこに足を掛ければいいのか知っている。運動場は今や腰の高さの草で隠れ、校舎の灰色の壁にはひからびたような黒くほっそりした蔓がさかさの家系図となってひたひたと、上へ上へと生え伸びていく。女の子たちは草原の運動場を渡り、割れた窓（割った窓かもしれない）からやすやすと校舎内に忍び込む。外壁を這う蔓は、やもりの開ききった小さな足指とまったく同じかたちをして、内側の壁にもそっと這いはじめている。女の子たちはうつろな教室をスマートフォンで照らしてまわり、ロッカーをひとつひとつ開けて照らし、乾き切ったトイレの個室も確認する。女子トイレはもちろん、男子トイレの確認も怠らない。図書室の棚には、まだ半分は本が残っている。棚と棚のあいだを隈なくまわるうちに、一人、また一人と脱落者が出る。しまいには、グループの全員がばらばらの閲覧テーブルに落ち着いて、スマートフォンの明かりを頼りに読書に没頭してい

先輩狩り

藤野可織

る。

校内を下の階から順に見てしまうと、女の子たちは、窓から草原の運動場を見下ろす。なにかいるような気がすることもあるけれど、それはいつも決まって別のグループの女子高生たちだ。彼女たちは窓から身を乗り出して、今度はプールのほうを見やる。夜の風が彼女たちの髪をそよがせる。そこには柵をよじのぼり、プールサイドに降り立つまた別のグループの女子高生たちがいる。プールサイドにはところどころセイタカアワダチソウがじょうぶな茎を伸ばして生えている。水を抜かれて久しいプールでは、隅に堆積した腐った葉がずるずると崩れつつある。ちか、ちか、とスマートフォンの明かりがプールを照らす。プールの中には誰もいない。念のため、一人が助けを借りてプールに降り、歩いてまわる。プールサイドの女子高生たちはゆっくりと移動しながらその子をスマートフォンの明かりで捉え続ける。その子がうなずくと、彼女たちは静かに集まり、その一人を引っぱり上げる。

女子高生たちの目的は明らかだ。彼女たちは「先輩」を捜している。

先輩が何者であるかについては諸説あるが、ここしばらくは文字通り彼女たちの高校の先輩で、卒業生の怨霊だという説が有力だ。先輩は電話をかけてくると言われている。

「おめでとうございます！　あなたは高校を卒業することになりました！」

かかってきた子は、数日のうちに、先輩に連れ去られると言われている。

実際、女子高生たちはぽつぽつと消える。高校が閉鎖中でも、女の子たちは成長して女子高生になる。女子高生は毎年わずかながらも増えるのに、毎年同じくらいいなくなっていく。消えたくない女子高生たちは、先輩を捕まえて締め上げるつもりでいる。消えたくない女子高生たちのポケットやポシェットやリュックサックにはカッターナイフが、ライターが、伸縮式の指し棒が、ビニールテープが、ガムテープが、金槌が、ぱちんとふたつに折りたたむことのできる園芸用ののこぎりが入っている。どれも商店街の百均で購入したものばかりだ。先輩は霊なんでしょう？　と戸惑いを隠さない子もいる。霊にこんなものが果たして効くのだろうか？　しかし、それなら霊にはどんなものなら効くというのだろう。それが判明しないかぎりは、彼女たちはそれらを恃《たの》みにするしかない。先輩の姿を知る者はいないが、この点についてはとくに誰も心配していない。同級生の数は多くなく、互いが知り合いであるので、知らない女性がいればすなわちそれが先輩であるはずだ。みんなは口に出しては言わないが、なんとなく、猫背で長い髪をして、カーテンみたいなぼさっとした白いワンピースを着用した女性を思い描いている。政府から配信許可が出ている合法映画の中では、幽霊はいつだってそんな姿だから。
そのようにして、彼女たちは夜ごと、静かに、大人たちに知られないように、徒党を組んで、先輩狩りにいそしんでいる。

「ハイ、ちぇるしー」

先輩狩り

藤野可織

いくつもある公園のひとつの、球形の回るジャングルジムのてっぺんで、ちぇるしーはスマートフォンから顔を上げる。

「ハイ」ちぇるしーは声をかけてきた女の子たちに手を振る。五人の同級生の小さな集団。先輩狩りのチームだ。

「はいこれ」チームのひとりが腕を伸ばし、ちぇるしーにＵＳＢメモリを渡す。

「ん」ちぇるしーもポケットから取り出したもうひとつのＵＳＢメモリをその同級生に渡す。

同級生といっても、ほんとうの意味での同級生ではない。休校が長く続く今となっては学年なんて誰にとっても重要ではなくなってしまった。今、彼女たちには後輩は存在せず、先輩といえばたった一人の存在を指し示している。

「うちらといっしょに行く？」

「私はいい。やめとく」

ちぇるしーはだいたいは誘いを断る。もう長いこと先輩狩りはしていない。ちぇるしーはなんとなく、先輩はちぇるしーのところには電話して来ないような気がしている。

「なんでそんなことが言えんのよ」

「そうだよ危ないよ」

「本当は先輩んとこに行きたいんじゃないの？」

ほらこれだ、とちぇるしーは思う。女子高生のみんなは表向きは大半が先輩狩りに賛同している。でも一部には、先輩に連れて行かれることを望む子たちもいると言われている。

先輩狩りに積極的に参加している子の中にさえも、先輩を狩りたいのだか先輩に連れて行かれたいのだか心の定まらない子がいる可能性があるという。一人でふらふらしている子はとくにあやしい。

「でも私はちがうの。一人でいるのが好きなだけ」

「どうだか」

　ちぇるしーは球形のジャングルジムのてっぺんで、同級生の小さな集団が見えなくなるまで見ている。ちぇるしーは高校指定の真新しいジャージの裾をちょっとまくって足首を出し、靴下はなしで、ちょっとサイズが大きめのコンバースを履いている。上に着ているのは映画『バック・トゥ・ザ・フューチャー』のロゴの入ったTシャツ一枚きりで、これは高校は関係ない。定期的にファストファッションのネットショップで使えるクーポン券が届くので、それで買った。遠ざかって行く同級生のうちの一人は、夜中だというのに大きな麦わら帽子をかぶっている。

　彼女たちが見えなくなってしまうと、それを待っていたように背後から声がかかる。

「ハイ、ちぇるしー」同時に、球形のジャングルジムがぐるりと回る。

「ハイ、はーしー」ちぇるしーは体を反らせ、なんとか相手を視界に収めようとする。

　はーしーはちぇるしーの真後ろにいて、ぐぐっと手で押して回転させたジャングルジムに片足をかけていっしょに回っている。はーしーの着ている古着のワンピースの裾が大きくひらめいていて、それだけがかろうじてちぇるしーの目の端にひっかかっている。くすんだベージュやピンクや紫色の大きな花柄のテキスタイルだ。ちぇるしーは慎重に鉄の棒

先輩狩り

藤野可織

を掴んでいる手を組み変え、はーしーに向き直る。はーしーのワンピースの襟は、風ではためくほど大きい。胸からお腹まで並んでいるボタンはとろりとオレンジ色がかった飴みたいな質感で、腰は共布のベルトでぎゅっと締めている。靴は底の分厚いナイキのスニーカーだ。

「お、ちぇるしー、ジャージ新しいんじゃね？」ジャングルジムをぴたりと止め、はーしーがスマートフォンをごそごそと取り出す。ちぇるしーの下半身がぱっと照らされる。

「そうだよ、新品だよ」ちぇるしーは身をわずかに乗り出し、膝で数秒タイミングを見計ってから地面に飛び降りる。前のジャージはあまりにも古くなってしまって、ちぇるしー本人は別にそんなには気にしていなかったが、みんなが「毛玉がすごい」「はじめからこんな色？」「何年モノ？」などと言って寄ってたかって中腰になり、四方八方から下半身を照らしまくるものだから、ついに捨てた。新品のジャージは、高校にメールを入れるとすぐに送られてきた。それは前のとまったく同じ、緑色で外側の側面に白いラインが一本入っているだけのジャージだった。高校はもうあんな草でぼーぼーなのに、いったいどこから送られてくるんだろうとちぇるしーは頭の端のほうで考える。

「ねえちぇるしー」

ちぇるしーは驚いてはーしーを見下ろす。はーしーはいつのまにか地面に膝をついて、ちぇるしーの真新しいジャージを握り締めている。しかも泣き声だ。

「なに。どしたの」

「私、さっき先輩に会っちゃった。どうしようちぇるしー。私、連れて行かれちゃうのかな」

最後のほうは、嗚咽《おえつ》だった。ちぇるしーはあわてて肩をさすってやるが、はーしーが何を言っているのかよくわからない。

「え？　えっと電話じゃなくて？　先輩に直接会ったの？」

「うん、あれ先輩だったと思うんだ、長い髪の毛がばっさばさで白い服着てたし……」はーしーはあまり大声にならないように必死に声を抑えているけれど、しゃくりあげるときすごく大きなしゃっくりの音が飛び出してしまう。公園の柵の向こうから、さっき去って行ったのとは別の先輩狩りのグループがこちらをうかがっている。ちぇるしーは救難信号のつもりで、光らせたスマートフォンをいっぱいに伸ばした手で振る。同級生たちが静かに駆け寄ってくる。

ちぇるしーが高校一年生から二年生になる春、感染症の流行がはじまった。休校は、はじめは四月だけの予定だった。ちぇるしーは別にショックでもなんでもなかった。へーと思っただけだった。それは東京やいくつかの大都市でのことで、ちぇるしーが住んでいるような地方都市にはあまり関係のないことのように思われた。できるだけ外出しないように、との通達があったけれど、それも別に気にしなかった。ちぇるしーは好きなときに出かけた。外出時のマスクの着用が半ば義務付けられるようになっていたが、ちぇるしーにとっては苦ではなかった。家でもとくに退屈はしなかった。郵送されてきた教科書を読み、

先輩狩り

藤野可織

問題集を解き、あとはＳＮＳで友達とおしゃべりし、テレビかパソコンで映画ばかり見て、たっぷり寝て過ごした。四月の終わりになって、政府としては五月の連休明けもまだ休校措置をとるよう要請せざるをえない、というニュースが新聞に出た。テレビでもそう言っていた。学校はまだなにも言ってこなかった。無責任な、とちぇるしーのお母さんは怒った。お父さんはまだこのころは週に三日だけ、家から会社に通っていた。ちぇるしーはやっぱり気にしなかった。ネットを介して授業をやることになり、決まった時間にパソコンを点けた。はじめの数回はまあまあうまくいった。画面の向こうでバストアップの先生が話をし、それをノートを取りながら聞く。録画のときは、倍速で聞いた。でも、しばらくすると授業の途中でフリーズしてどうにもこうにもならなくなった。たくさんの先生が画面の向こうでフリーズしたけれど、ちぇるしーのパソコンでは決まってどの先生も、うまくまばたきの途中でフリーズした。ちぇるしーは嫌いな先生の半目のスクリーンショットを何枚も撮り、友達にクローズドのＳＮＳで送信した。六月になると、女子高生の妊娠が社会問題になった。女子高生だけじゃない、女子中学生も、いくらかは女子小学生も妊娠していた。学校の目が行き届かなくなったから、とニュースでは言っていた。ごく一部の不届きな女の子たちが不用意に外出して妊娠するらしい。ごく一部の家から一歩も出なかった女の子たちも家庭内暴力によって妊娠していたけれど、それはあまりニュースにはならなかった。とにかく妊娠しないように、と学校から呼びかけがあった。ちぇるしーはちょっとひやひやした。彼女もときどき当時のボーイフレンドと妊娠するようなことをしていたからだ。そもそもこんな感染症が蔓延している中で、出かけるようなことを許していたのがばかだった、と、ちぇるしーの両親が言い出した。ちぇるしーはその数日前まで、妊娠したかもしれないと思って情緒不安定になっていたが、結局は生理がちょっと遅れただけだったし、そんなふうな疑惑を自分に抱いていたことは両親に隠し通したつもりだったのに。ちぇるしーは外出禁止になった。お母さんといっしょだったら、出かけることもできた。三日に一度は真っ昼間にお母さんとマスクをつけて商店街に出かけた。世間では百貨店や美術館や映画館はずっとお休みだということだったけれど、商店街で閉店している店舗はひとつもなかった。スーパーもドラッグストアも美容室も、クリーニング店も営業していて、しかも常に混んでいた。カフェや居酒屋すら店を開けていた。ただし、店の中には入れなかった。店の前に出した椅子とテーブルで、みんな笑顔で飲み食いをしていた。すみっこのテーブルにはテイクアウト用のタッパーが積み重ねてあった。そのせいで、商店街の道はいつもより狭くなり、いつもよりたくさんの人で賑わっているようにすら見えた。テレビをつけると、毎日、何人が死んだ、というニュースが流れた。途方もない数だった。でも、誰も感染症がほんとうに存在するとは信じていないようだった。それでも、政府の要請で休校は続いた。九月に、この一年を翌年に持ち越すことが決まった。つまりちぇるしーは高校二年生の半分をすでに過ごしていたけれど、それはなかったことになって、残りの半分も感染症拡大防止のためにできるだけ家でなにもしないで過ごし、来年の四月からあらためて高校二年生をやろう、ということだった。なかなかいい考えだとちぇるしーは思った。懸案がひとつあった。女の子たちの不品行だ。ちぇるしーもそれは心配だった。ずっと外出禁止だなんてとんでもない。ちぇるしーはもうすでに夜、両親に内緒で部屋から抜け出して何度も外出をしていた。たいていは一人で散歩したり、やっぱり部屋から抜け出してきてばったり行き合った同級生の女の子と地べたに座っておしゃべりしたりするだけだったけれど、ときどき誘いに応じて出てきたボーイフレンドと過ごすこともあった。これからはもっと何度も誘って、もっとたくさん彼と過ごそうとちぇるしーは心に決めていた。そんなちぇるしーの心のうちを見抜いたかのように、政府の注意喚起がひっきりなしにCMで流れた。将来赤ちゃんを産まなくてはいけないあなたたち女の子は、と人気アイドルたちが真剣な顔をして、語りかけてきた。自分の体を大切にしなくてはいけません。将来赤ちゃんを産むために、飲酒喫煙にNO。将来赤ちゃんを産む体なのだから、私は、私の体を守る。ステイホーム。

休校が延長に延長を重ね、とうとう三年目に入ったとき、政府は苦渋の決断に踏み切った。感染症の猛威はとどまるところを知らず、この町でもとっくに死者が出ていた。ワクチンや有効な治療方法は、発見されたと報道があった翌々日には撤回される、というようなことがもう何度も繰り返されていた。それでも、いつまでも立ち止まっているわけにはいかない、と政府は声明を発表した。人生を前に進めなければならない。社会を回していかなければならない。そのために、男子学生だけが感染の危険を冒して進学することになった。ちぇるしーはもうかつてのボーイフレンドとは別れて、別のボーイフレンドとつきあっていたが、どちらも町を離れて行った。男子高生だった男の子たちは男子大学生になり、やがては就職する。それまでに、いったい何人の犠牲者が出るか知れない。しかしそれはすべて、いつか女子高生たちに健康な妊娠と出産を提供するためだった。女子高生たちは人生を保留して、万全の健康体でその日を迎えることができるように、安全に、とにかく安全に暮らさなければならない。

ちぇるしーの町は女子高生保護地区に認定された。とたんに、Wi-Fiが政府公認のものに一本化された。配信レンタルで見ることができるドラマや映画に対し、政府が逐一審査を行って合法マークをつけるようになった。感染リスクを下げるため、女子高生に限り外出できる曜日・時間帯が学籍番号ごとに割り振られることになった。外出時のマスク着用はすでに義務化されていたが、そこに加え、女子高生は制服着用も義務付けられた。学校の課題は今でもメールで届いている。でもその内容も問題集も、ここしばらくは毎年まったく同じだ。外出義務を伴う体育の時間もあって、各自通告された曜日・時間には雨の日でも雪の日でもジャージにマスクで定められた範囲をしっかり散歩して健康を保つ。

夜には、女子高生たちは、マスクをつけない。親たちが、娘たちの夜の不品行を半ば黙認しているのを彼女たちは知っている。マスクをつけないことにすら目をつぶっていることも知っている。隔離中の同級生どうしで会うだけなのだから、と、どうして夜、親が自分たちを自由にさせておくのかも知っている。今のうちだけだから。親たちがそう考えていることを、彼女たちはよく知っている。あの子たちにとってほんとうの人生がはじまったら、もうたいへん。妊娠は病気ではないけれど、だからこそなにがあるかわからない。それを無事に乗り切っても、休めるのはほんの一瞬。乳児の手のかかることといったら。だから、あの子たちは今のうちに楽しんでおかなくちゃいけないから。親たちが自分自身にそう言い聞かせ、娘たちを大目に見ていることを、彼女たちはよく知っている。うんざりするくらい。

ちぇるしーは自室で机につき、ノートパソコンを開く。まだ部屋の電気はつけていない。だらしなく途中までカーテンを引いてある窓から、朝焼けの光がうっすら入ってきている。

ちぇるしーは書く。

〈鳥の日

私は鳥を飼っていたことがある。

鳥といっても、血と肉でできていてふわふわの羽でコーティングされた、ほんものの鳥じゃない。私の鳥は、プラスチックの鳥。乳白色で、目だけ黒く塗ってある。

私はそれを、繁華街のフライングタイガーで買った。たぶん三五〇円くらいだった。なぜ買ったのかわからない。三段の雛壇状にしつらえられた台ひとつが丸々、その鳥の陳列台だった。まったく同じ鳥が、無数に乱雑に並べて売られていた。私は適当なのをひとつ取った。

でも持って帰ってみると私はけっこう気に入って、「鳥」と名前をつけて枕元に置き、毎日いっしょに寝た。私はときどき、鳥に話しかけて、鳥も私の声で応えてくれた。鳥と私は親友になって、私はときどき鳥を、あんたなんてフライングタイガーから来たくせにってからかった。フライングタイガーってなに？　鳥は大自然を飛び回っていたけど、ちぇるしーとお友達になりたくてやってきたんだよ、って鳥は言った。うんうん、そうだよね、ありがとう。私は鳥を撫でた。

　だいたいそういうのが三ヶ月くらい続いて、また繁華街に行くって日に、私はふと思いついて鳥をかばんに入れた。どこ行くの。鳥は不安そうだった。楽しみにしてて。私は鳥にささやいた。私は友達と待ち合わせてるカラオケに行く前に、フライングタイガーに寄った。あれ、ここ、知ってる気がする。私の頭の中で、鳥がつぶやいた。私は鳥に、ちょっと故郷の空気を吸わせてあげたかっただけなのだ。でも、店の中をぐるりとするうちに、私は絶句してしまった。そこにはまだ、このプラスチックの鳥が大量に、乱雑に並ぶ陳列台があったから。鳥たちは、私が「ねえ鳥ってほんものなの？　脚ないじゃん」ってからかったとき、「あるよ、ひどいよ、鳥の脚はねえ、ふわふわのお腹に隠してるんだよ」って抗議する私のかわいい鳥とまったく同じ顔を無数に私に向けていた。私は正直に言って、ショックだった。そんなはずないって思った。私の鳥はたしかにここから適当に取った鳥だったかもしれない。でももうすっかり私たちは友達なんだから。

　私はそっとかばんから私の鳥を取り出した。そして鳥の頭を人差し指で小さく撫でながら、目を閉じて、棚の適当なところに私の鳥を押し込んだ。私は目を閉じたまま二歩うしろに下がって、目を開けた。わからなかった。どれが私の鳥なのか。鳥、と私は心の中で呼び掛けた。鳥は返事をしなかった。

　私は鳥を置いたままあとずさって店を出て、カラオケに行った。鳥とはそれきり。

　今でも私の鳥のことを思い出すと、すごく悲しい。〉

　ちぇるしーはこの文章を書くのに昼までかかった。何度か読み直して、めったに更新し

先輩狩り

藤野可織

ないブログにアップする。同級生たちのスマートフォンにすぐに更新の通知が届く。

ちぇるしーは交換日記もしているし、こういうエッセイみたいなのも書くし、大好きなドラマの二次創作の小説も書くけど、それはUSBメモリに入れて同級生とやりとりしている。ネット上にアップなんてしたら、誰に読まれてしまうかわからないから。たとえば政府の関係の人とか。でも、今回ばかりはそれじゃ間に合わない。

その夜、ちぇるしーは高校の制服を着る。白いシャツにグレーのベストに紺色の膝上丈のプリーツスカート。膝下までの紺色のソックス。靴だけは、いつものコンバースだ。外に忍び出てしばらく歩くと、ずいぶん後方を歩く同級生に気がついた。彼女も制服を着ている。前方では、民家の軒先のジャスミンに埋もれるように立っている制服姿の子がいて、目が合うとくいっと顎で行先を示す。そういうふうに誘導役をやっている子が何人かいて、ちぇるしーは高校にたどりつく。そのころには、ちぇるしーのうしろにはもう六、七人の制服姿の同級生がいる。門の前で、ちぇるしーたちは上を見上げる。屋上で、スマートフォンの明かりが四つ五つ、手を振るかたちに残像の尾を引いて光っている。

屋上ではもうすでに、泣きはらした目のはーしーを真ん中に座らせて、同級生がほぼ揃っている。もちろんみんな制服を着ている。制服姿だと誰が誰だか見分けがつかなくて、もちろんちゃんと見ればわかるのだけれど、先輩を困らせることくらいはできそうで、ちぇるしーは非常に満足である。

「私の暗号、ちゃんとみんなに通じたみたいだね」得意げにちぇるしーが尋ねる。

「まあわかりにくいけど」半笑いでいがらしーが言う。「あからさまだった」

「いやむしろ、あからさますぎない？　わかりにくいけど」みゅーちゃんが伸びをする。

「待って、あからさまなんだったらわかりやすいでしょ。わかりにくいってのはなんなんだよ」疑問を呈すちぇるしーの背中を、うしろから来た同級生たちが軽くばん、ばん、ばん、と叩いて通り過ぎ、みんな寄り添うように床に腰を下ろしていく。

はーしーは、肩を抱かれて励まされている。

「見ただけなんでしょ？　電話がかかってきたわけじゃないんでしょ？」

「はーしー、だいじょうぶだよ、見たっていうのも、きっと夢だよ」

その可能性は高いとちぇるしーも思っている。はーしーが泣きながら告白したところによると、はーしーは休業中のホテルの一室で眠り込んでいて、胸苦しさに目が覚めると長い髪で白いだらんとした服装の女性にのしかかられている最中だったという。女性は「おめでとうございます」と螺子《ねじ》が回るようなカラカラした声で言ったという。話を聞いた先輩狩りのグループが勇んでその部屋へ乗り込んだけれども、そこにははーしーがぐちゃぐちゃにしたベッドしかなかった。

「夢だよ」

「いや、霊かも」そう言った同級生は、ホテルの管理人の娘だ。その子がエントランスの鍵を開けるから、夜にはそのホテルには誰でもかんたんに入ることができる。「うちのホテル、幽霊いるって聞いたことあるよ。先輩とは別の霊」

「ねえ、あれってさ」ふるふるがちぇるしーを手招きする。ちぇるしーはその隣に座る。

「あの『鳥の日』ってやつ。あれって実話？」

先輩狩り

藤野可織

「まあね。今でも鳥のことを思い出すと……」

「それはいいから。ちぇるしーはフライングタイガーに行ったことがあるんだ。ていうか、繁華街に行ったことあるんだ」ふるふるはちょっと興奮している。ああそうか、とちぇるしーは思う。この町が女子高生保護地区に指定されると同時に、繁華街は封鎖されてしまった。ふるふるは、繁華街に行ったことがないのだ。

「ねえ、あれっていくつんときの話？　すっごい子どものときの話？」ちぇるしーと背中合わせになっていためいぴーが肩越しに尋ねる。

「うん、そうだよ」ちぇるしーはちょっと視線を上にやって、数を数える。「あれはねえ……一六歳のころのことかな」

「高校生になってんじゃん！」めいぴーが笑い出す。「もうそんなに子どもじゃなくない？」

　でも、めいぴーにとってはそうでも、ちぇるしーには一六歳はじゅうぶんに子どもなのだ。ちぇるしーは今年四〇歳になる。

「さあ、もうこれでだいじょうぶだよ」誰かがはーしーにやさしく語りかけている。「先輩にも、誰が誰か区別がつかない」

「私、先輩に会ってみたかったんだ……」はーしーの途切れ途切れの声が聞こえる。「私、人生をスタートさせてみたかった……でもいざとなったら怖くて……」

　屋上は風が強くてちょっと寒い。ゆうべ、はーしーが先輩に会ってしまって怯えているということだけは、伝言ゲームのやり方で情報を共有することができたけど、対策まで練る時間はなかった。この解決方法を考え出してあの文章を書くのに昼までかかったし、午後には体育の時間もあったので、ちぇるしーは眠い。

「囮《おとり》もいることだし、もし本当に先輩が来たらそれはそれでちょうどいいよね？」

「私もそう思う」

「先輩、早く来ないかなあ」

ちぇるしーの背後で、同級生たちが百均のおそろいの麺棒を見せ合っている。彼女たちはそれで先輩を殴るふりをして予行練習しているけど、なんだかとてもうれしそうで楽しそうで、同じタイミングで同じ動きで高く掲げた麺棒を振っている彼女たちは、あこがれのアイドルが来るのを今か今かと待ち構えているファンみたいだ。先輩来るかなあ。ちぇるしーは隣の子にもたれかかって、もうろうとしている。うまくいくかなあ。うまくいくといいなあ。これは夢かもしれない、とちぇるしーは思う。これは感染症の流行なんて起こらなくて、起こったとしてもすぐに終息して、ちぇるしーはふつうに卒業して、ふつうに就職して、ふつうに結婚して、ふつうに子どもがいる、ふつうの四〇歳の村上千絵、いやちがった、ふつうに夫の苗字になっているだろうからふつうにナントカ千絵になっている千絵が、ふつうの一日の終わりに見ているすてきな夢かもしれないと。そっちが正解だったはずだ、とちぇるしーは思うが、その正解をちぇるしー自身が望んでいるかどうかはわからない。私が望んでいるかどうかなんてほとんど関係ないんだよ、ふつうっていうのはそういうものだよ、そう思いながら、千絵は寝返りを打つ。両隣に熱を持った重量物があって、それの一方は千絵より大きく、一方は千絵より小さい。夫と子どもだ。千絵は

先輩狩り

藤野可織

目を開けてそれを見ようとする。

　そのとき、「え、ちょっと待って」「あれ先輩じゃない?」というささやき声がして、それが一気にわーっという歓声に変わって千絵は眠りに引き戻された。

　風が吹いていた。長い長い真っ黒な髪の毛が、風でもつれて舞い上がっていて、その上ちょっと猫背になっていたからよく前が見えなかったけど、目の前には制服を来た女子高生たちがいるようだった。彼女らは固まって座っていて、千絵を見てぎゅーっと潮が引くようにますます固まったけれど、一番手前にいる女子高生はのんきに眠りこけていた。それから、その眠りこけている子以外の女子高生たちが、またキャーと悲鳴みたいな歓声を上げ、爆発するみたいに腕を振り上げていっせいに立ち上がった。髪の毛も、白くてぼさっとしたワンピースも、風で内側からふくらんでふくらんでとても動きにくかった。千絵がそれでも必死に一歩踏み出すと、また女子高生たちは雄叫びみたいな歓声を上げた。それに応えようと、千絵はだらんと下がっていた両腕を彼女たちに向けて差し伸べた。

　ちぇるしーはみんながばたばたと、彼女の体の近くを走り抜けたり、ぴょんと跳んで跨いだりするのを感じていた。ちぇるしーでつまずく子さえいた。誰かがちぇるしーに、脱いだベストをかけてくれた。みんな、静かになんかしていなかった。だいじょうぶかな、とちぇるしーはちょっと心配だ。さすがにこれはまずいんじゃないか。警察に補導されちゃうかも。でも、みんなとても楽しそうで、みんながこんなに楽しいのならちぇるしーもうとうとしながらも、なんだかとても楽しい。

星空と海を隔てて

文珍

濱田麻矢＝訳

孫寧《スンニン》にとって、あの珠海《ジューハイ》の夜を思い出すことは苦痛になった。その苦痛の中には、思わぬ甘酸っぱさも紛れ込んでいるのだが。

五月が終わろうとしていた。海辺の小都市の空気はいつも素晴らしい。夜空もいつも通り、水晶のように透き通った青をたたえている。彼女が泊まるゾーボンアートホテルは古い四つ星級で、ロビーの冷房は効きすぎていた。彼女は入った瞬間に身震いしてしまったが、身にまとったスーツを撫でつけると背筋をしゃんと伸ばして進んだ。

彼女は仕事を始めて五年、これは五十回目か五十一回目に行かされることになった出張だ。

今回の出張を承諾した裏の理由は、場所が珠海だからだった。拱北《ゴンベイ》で出入境検査場をくぐればそこはマカオだ。そして孫寧はまさに以前マカオ大学大学院に通っていたのだったた――彼女が在籍している広告会社では、同僚の多くが北方の名門校出身で、上海《シャンハイ》、広州《グァンジョウ》、武漢《ウーハン》といった学校の卒業生も何人かいたが、彼女の母校ほど南から来た人はいない。彼女は福建《フージエン》人なので、よけいに周りから「南蛮人」だと見なされていた。そしてだからこそ、孫寧は南方に対して無限の郷愁を抱いている。食堂で豆腐脳《ドウフナオ》を頼むたび、彼女は絶対に醤油あんではなく砂糖だけをトッピングし、「死んでも悔い改めない南方人」を自称していた。わけてもマカオには愛着がある。大学院の最初の二年はマカオ本島、それから一年は横琴島《ホンチン》で、あわせてまるまる三年を過ごした。マカオ出身のクラスメイトの車に乗せてもらって何度かコロアネ島にも行ったが、もっと馴染み深いのはもちろん本島とタイパ島だ——ほとんどのカジノホテルはこの海を隔てて向かい合う二つの小島の上にある。マカオに住んだことのない人には想像しがたいだろうが、この都市全体が賭博業のおかげで奇妙な発達をとげていた。聞くところによると、二〇一八年の額面売り上げはもはやラスベガスの七倍を超えているという——政府もカジノには高額の税を課しているので、マカオ市民の享受する福利はとても質が高い。若者たちも甘やかされて進取の気性を持たなくなっていた。卒業するとすぐに数十万の創業基金が支給されるのだから。ただそれをもらえるのはマカオ出身の学生だけで、マカオにいくつかある大学を卒業した大陸出身の学生にはお鉢は回ってこない。大陸出身者がマカオで就職しようとするなら、マカオの大学の学生証を頼りに、数少ない中国政府出資の企業で職を探すか、大学に残って助教になるかしかない。それでも毎月一万元以上の手当てがもらえる。

　孫寧は実家がまずまず裕福だったので、金銭への執着は強くなかった——そもそも、香港やマカオ、台湾に進学する大陸出身者の中に、経済的に困窮している学生はほとんどいない。だから孫寧も、マカオの現地出身者優遇策に対しては周りに合わせてちょっと不平を漏らしてみたものの、助教の職にも応募しようとせず、同期の男子学生にあっさり譲ってやったのだった。本当に、あまりに居心地がよかったために、あの三年はやりたい放題で過ごしてしまった。学部時代よりもっと気のあう友達ができたし、学費は大陸よりやや高かったもののみんなに奨学金がゆきわたっていた。化粧品は香港に比べても安いし、マカオの美食は多元的で豊かだ。こうして千日あまりの日々を、食べたり飲んだり、買い物したりぶらぶらしたりで過ごしてしまったのである。

あとになって彼女は思った。たぶん大学院生時代の生活が楽しすぎたのだろう。あの数年の間、勉強を除き精神面ではほとんど成長を止めてしまっていた。悪い人に会ったこともなかったので、仕事を始めたあとも、周りの人は全て善人だとたやすく思いこんでしまったのだ。

そしてだからこそ、彼女はマカオを心から懐かしんでいた。そこで彼女は、心理的な意味で子供時代の最後を過ごしたのだから。

そのやっかいな事件が起こる前に、孫寧は翌日は検査場を抜けてマカオに行こうという計画を早々に立てていた。だからホテルに着くとすぐシャワーを浴びてベッドに上がり、座り込んでテレビをつけた。マカオ大学で過ごした無数の快適な夏の夜と同じく、外がどんなに蒸し暑くても、いったん空調の神様がつかさどる室内の世界に入ってしまえばどんな汗も自動的に引いてしまう。もう二、三度室温を下げれば、布団に潜り込んでいい夢を見られるのだ。こんな時、彼女はいつも資本主義を――いや、消費主義の便利さを称賛せずにいられなくなる。遠くからいろんな音程の蛙の鳴き声が響き、明日も容赦なく暑い日だと予告されていても。

星空と海を隔てて

文珍

ＴＶＢの最新のドラマを見終わると十時半近かった。テレビを消したところで、突然老胡《ラオフー》からウィーチャット［中国のメッセージアプリ］がきた。よく見ると、彼と副社長とのチャットのスクリーンショットだ。「孫寧が俺に蜜兎《ミートゥー》されたってあちこちで言いふらしてるらしいな。俺、あいつと二人で飯食ったこともないんだけど。あの女、頭大丈夫か？」

老胡はこのショットを送ったきり何も言ってこなかった。メッセージを送ろうとしては止める状態になっている。どうやら、自分のほうから何か意見を言ったりはすまいとしているようだ。

青天の霹靂《へきれき》だった。

孫寧は目を凝らして何度も画面を確かめた。全身に冷や汗がにじむ。入社して五年、このポジションについて一年も経っておらず、彼女の立場はまだ安定していない。今の仕事にも、他ならぬこの林《リン》副社長が彼女を面接し、印象がよかったからと抜擢してくれたのだ。彼女が本当にこんなことを言いふらしたとしたら、首脳陣から深い恨みを買うことになるだろう。会社に残れるかどうかすらわからない。しかも今、彼女は仕事を始めてから一番調子が乗っている時期で、理想のポジションにすぐにでも手が届きそうなところにいるのだ――もし今離職したら？　彼女はもうすぐ三十、まだ結婚していない。今の会社からしっかりした紹介状をもらえなければ、納得できる仕事を見つけるのはまず無理だろう。

いったいどうしてこんなことに？

彼女はすぐに老胡に電話した。老胡は社内で唯一彼女が気を許せる仲間だ。入社する前からの先輩だし、仕事上の相棒とも言える。おそらくずっと彼女のことを憎からず思っているのだろうが、既に妻がいる彼はその好意を言葉に出したことはなく、微妙にほのめかすにとどまっていた。

老胡は言った。どういうことかわからんよ。さっき副社長が送ってきたんだ。もう読んだだろう、鼻息荒いよな。下手に隠しておくよりも、どうやって対処すべきか君が自分で考えたほうがいいと思って送ったんだ。

返信を打つ孫寧の手は震えていた。どうしたらいいかな？

老胡の返信。まず冷静になれよ、落ち着くんだ。副社長はこの前も会議で君を部門主任に抜擢するよう提言したくらいだから、君に悪意を持ってるはずはない。よく考えるんだ、君を陥れたいと思ってるのは誰か。それで、帰ってきたら副社長にじかに説明すればいいんじゃないか？

どう返信すればいいかわからないでいると、数分も経たないうちにまたメッセージがきた。あんまりびびるなよ。だいじょうぶだって。

孫寧の心は温かくなった。やはり老胡は本当に自分の味方になってくれる。自分たち二人の仲がいいのは皆が知っていた。もし本当に自分が会社を辞めてしまえば、彼だって社内でなんでも話せる相手を失うことになるだろう。

窓をきちんと閉めていなかったので、外の蛙の鳴き声がぐわっぐわっと響いてきた。しかし、先ほどまでの静謐な夏の夜の素晴らしさは完全に失われ、人をイライラさせる響きに変わってしまっていた。いやな予感のために頭の中でざわざわ音がする。なのに当事者の彼女はなにも止められないのだ。胸の中で心が静かに燃え始め、電光石火でありとあらゆるよくない可能性が馬のように走り出し、ひっきりなしに駆け回って、さらに埃と炎とを巻き上げた。

焼け出された彼女は老胡に助けを求めることしかできない。

わたし、本当にそんな話したことないのに。孫寧はしばらく真面目に考え、打ち終わった言葉を全部削除して新たに入力しなおした。私が林副社長に蜜兎《ミートゥー》されたなんて言うはずあると思う？　わたしの直属の上司なのに。わたしが会社を辞めたいとでも？

君がそんなこと言うはずないのはわかってる。だけど、本当に一緒に出かけたこともないの？　副社長は二人で飯食ったこともないって言ってるけど。

さらに大きな熱い波に呑み込まれた。孫寧の耳がわんわんと鳴る。あなたまで、わたしが副社長を陥れたと疑うの？

まさか、そんな意味じゃないよ。まず落ちついて考えてくれよ、誰が一番そんなことを言いそうか。「己を知り彼を知れば、百戦あやうからず」と言うだろう。まずは俺たちが足並みを揃えよう。

ぼうぼうと燃え立った心の炎はまた静まった。たった数分で、孫寧は全身汗びっしょりになってしまった。彼女は小声で言った。誰かわかったわ。

老胡は聞いた。誰？

杜峰《ドゥーフォン》。

杜峰って、君が去年いれた新人じゃないか。ずっと指導してきたんだから、君が半分師匠みたいなもんだろう？　いったいどういうこと？

孫寧は説明した。わたしたちのグループ、この間取引先を接待したんだけど、林副社長がわたしの隣にべったり座ってひっきりなしにお酒をつぐもんだから、わたし、トイレで吐いちゃって。出てきて手を洗ってたら副社長にちょうど出くわして……。誰も見ていないところで、いきなり抱きつかれて胸を触られて……。それからすごい力で、無理やりキスしようとしてきたの。このあと二人で帰ろうとか言われて。必死の思いで振り払ったんだけど、肩と手首のところに青アザができたの。このことは、うちのグループでは杜峰と小雷《シアオレイ》以外は誰も知らないはず。

そっか、だから二人きりで飯食ったこともないって言ってたのか——連れはほかにもいたわけだな。副社長はどれくらい飲んでた？

五糧液《ウーリャンイエ》を二、三合は飲んでたと思う。副社長の口ぶりからすると酔っ払って記憶を失くしてるみたいね。

杜峰と小雷はなんで知ってるの？　アザになったところの写真は撮った？

その時、宴席はもう終わりかけで、何人かのゲストは車を呼んで帰ってしまってたの。あの二人だけがお勘定したり折詰用意してもらってたりで残ってたんだけど、副社長はトイレから帰ってからもべろんべろんのままわたしの隣に座りこんで……。わたしは動揺してたから、すぐに立ち上がって違う席に座った。それからすぐ副社長の運転手が迎えにきたんだけど、わたしもちょっと酔ってて、店を出てから泣いてしまったの。二人ともすごく驚いて、いろいろ慰めてくれた。飲み過ぎてたんでしょうね、我慢できなくて喋っちゃったの——多分その時、二人ともわたしのアザを見たと思う。

それから副社長は謝ってくれた？

いいえ、なんの釈明もなし。まるで何事もなかったみたい。その後、うちのグループの出したプロジェクトが副社長に蹴られたことがあって、杜峰に「ボスは先輩のこと大好きだったはずじゃないですか、なんでこんなことになるんでしょう」って聞かれたの。その時は変なこと言わないでって止めたのよ、わたし。本当に誰にも何も言わなかったわ、あなたにだって言わなかったでしょ。

くそったれ、ってことは杜峰のしわざだろうな。小雷はおとなしいからそんなことしないだろう。今日はもう遅いから、あれこれ考えずに寝たほうがいい。

ねぇ、本当は誰が言ったんだと思う？

やめとけよ、とりあえず寝よう。おやすみ。

おやすみ、と言われたからといってすぐやすめるものか。孫寧はそのまま一人ホテルのベッドに座っていた。恐ろしいほど静かな時間のなかで、このホテルの本性が次第に明らかになっていった。アートホテルで四つ星だと言っても、内装の多くは古びていて、壁紙の継ぎ目がめくれ上がっているところもある。彼女は無意識のうちに壁紙が飛び出しているところを擦《こす》ってみた。接着剤を塗ったところは固くなって、もうなんの粘着力もない。少しめくってみようとすると、ぺりぺりと破れる音がした。止まらなくなってそのままめくってみたが、この調子でいくと丸一枚剝がしてしまうかも、と気づいてようやく手を止めた。明日の朝、スタッフがやってきて弁償しろと言うかしら？　そもそも、この部屋にだ。


監視カメラがついていたりして？人のすることは全て天が見ている。誰にも知られたくないなら、最初からやらないことだ。

……だけどどうしてまた、杜峰なのか？

孫寧はひそかに、杜峰こそは会社の中でもっとも話のわかる人で、老胡よりもなお気が合うと考えていた。去年入社したばかりだが、入った時からとてもよく自分の言うことを聞いてくれた。中肉中背の細面で、頬骨が名前の通りとがっている。あまりぱっとしない容貌で無口だからこそ、女性にとってはそんなに怖くない存在だった。彼に対して親しみを覚えるもう一つの理由は、高校の時隣に住んでいた男の子に彼がよく似ているからだ。一つ年上で同じ高校に通っていた男の子が、大学入学前に交通事故に遭った。その時彼女は高二、彼は高三で、ある日学校から帰ってくると隣から泣き叫ぶ声が響いてきたのだった。あれこれ聞いて、ようやくその子が学校の帰り、本を読みながら歩いていたところをピックアップトラックにひかれたのだと知った。よく知っていた子でもなかったが、その日、彼女もこらえきれず泣いてしまった。死が自分とこんなに近いところにあるとは考えたこともなかったからだ。夭折というべきだろう、彼はあと数ヶ月でようやく十八歳になるところだったのだ。

この男の子が転生して杜峰と名づけられ、十五年後に彼女のところに戻ってきたのだ。細かく計算すると年齢が違うようだが、とにかく彼と瓜二つだった。

杜峰は最初のうち彼女を先輩とは呼ばず、小寧《シアオニン》と呼んでいた。この呼び名まで同じだ。

星空と海を隔てて

文珍

ひそかに感じていた親しみに加え、彼が本当に話し上手なので、孫寧は自分が仕事上で蓄積してきた心得を惜しみなく差し出し、彼が急速に能力を伸ばしていくのを見守っていた。少なくとも、彼の成長は彼女が入社したころよりずっと早い。彼女は仕事のリズムや人間関係に慣れるまでにかなり時間がかかったが、彼は軽々とクリアしていった。彼にはもう一つ目立って優秀なところがあった。部門管理者である林副社長はなにかというと下ネタを口にするのが好きなのだが、杜峰は反応が早く、いつも他の人よりすばやく気の利いた受け応えをするのである。彼女が、針のむしろに座っている心地でただ耐えているだけなのとは大違いだった。孫寧は仕事に就いてもう五年になっていたが、どうしてもそうした会話にさっと馴染めず、自分が気が利かないことを責めることしかできなかった。

どうして彼が怪しいと思うのだろう?

彼の仕業だと思うことは、小雷がやったのだと思うよりも辛いことだった。何と言っても彼にはあれほど目をかけてやったのだから。——そして、いったいどうして小雷のことは疑わないのかといえば、たぶん小雷が女で、ああいう経験がどんなに辛いことかわかっているはずだからだ。孫寧は女の子のことを簡単には疑いたくなかった。正直でおとなしい子だ。五年の間で彼女と交わした会話は百に満たないだろう。上司となれなれしい口をきいたこともない彼女が、裏で噂話をしたり告げ口したりするなんて考えられない。

では、孫寧が辞めることになったとして、得をするのは誰だろうか。その場合、この二人が得るチャンスは大差ないと言えそうだ。副部長のポストが空けば、後輩たちはみな早めに昇進する機会を得られるだろう。しかし、彼女がいったいどんな間違いを犯したというのだろうか。我慢できずに泣いてしまったのがいけなかった？　それともつい話してしまったこと？

寝返りを打って悶々とするばかりで、一晩中よく眠ることができなかった。今までの人生が順調すぎたのだ。彼女が知っていた陰謀というのは、せいぜい宮廷ドラマの中で宮女たちが皇帝の寵愛を争う愛憎劇にすぎず、現実から少なくとも数百年は隔たった物語だった。まさかこんな芝居が自分の身の上にふりかかってくるとは。

真夜中を過ぎると、ホテルのあちこちから鼻をつく埃の臭いがしてきた。たとえば博物館のような場所なら、同じように古びた建物でも、ひんやりして抑制のきいた、もっといい匂いがする。歴史の埃は徹底的にウィンドウの中に隔離されているからだ。ショーケースの中にはだいたい温度計が置かれていて、時間が閉じ込められた水晶の棺は一定の温度に保たれているが、世事は将棋盤の上の勝負のように刻一刻と移り変わってゆく。五百年などとは言わない、あと五日も経てば、この部屋の中でこんな女が一晩不眠で過ごしたことなど誰にもわからなくなるだろう。ようやく消しとめた炎がまたぼうぼうと燃え盛ってきた。それとともに恐怖も。

人の持つ悪の性質を見くびっていたために誤審を招き寄せたのだ。すでに最悪の結末が醸成されていた。

一晩中眠れなかったが、孫寧は朝になったら予定通り検査場を抜けてマカオ大学の学寮長に会いにいくことにした。彼女にとっての学寮長は、魯迅にとっての藤野先生のような存在だった——自分でも、どうしてこんな比喩を思いついたのかわからないが。マカオ大学は学寮制をとっていて、学寮長は何か実際的な仕事をするのではなく、学生たちの精神的な支えとなり、チューターとなる存在だった。七十を過ぎた女性で、そんなに敬虔とは言えないが愉快なプロテスタントだ。五十で離婚してから再婚はしていない。台湾人だった——マカオは台湾と学制が似ているので、台湾から招聘した教員が多かったのである。孫寧はもともと、学寮長に自分が職場で余裕綽々《よゆうしゃくしゃく》であるところを見てもらい、喜んでもらおうと思っていたのだった——しかし、思い描いていた場面とは全く異なる現実にぶつかってしまった。焦れば焦るほど眠れなくなったが、学寮長と会いたいという思いはますます強くなった。年長の女性に対する本能的な信頼によって聞いてみたくなったのである。

学寮長、こんなことになってしまって、わたしどうしたらいいでしょう?

　長い夜、蛙の声は雷のように響き、空調は効かなくなり、頭は割れんばかりに痛んだ。まるで朝など永遠にこないかのように。

＊

　いったいいつ、その女の子が人の群れの中から彼女の視界に飛び込んできたのかはわからない。清楚で、ほっそりしていて、ポニーテールを垂らし、ブルーのデニムのワンピースを着て、呆然とした様子で税関の入り口から湧きでてくる人波に押されている。孫寧《スンニン》は彼女が一生懸命に人の流れをせきとめ、下手くそな広東語で質問しているのを見た。「スミマセン、カジノ行きのバスはドコですか?」間違いない、マカオに遊びに来たことなどほとんどないくせに、マカオ通のふりをしたがっている新米だ。カジノ行きのバスに乗れば観光客も無料で中心部まで行けるなどというガイド本を真に受けているのは新米だけである。女の子の手を一目見れば、生まれてからサイコロなど触ったこともないのは丸わかりだ。カジノ行きのバスの係員が何人か客待ち顔だったが、彼女には白い目を向けるばかりで取り合おうともしていなかった。

孫寧は、朝目覚ましを止めて起き上がった時から夢の中を漂っているような気分だったが、とにかくホテルの朝食時間に食堂にいき、冷たい牛乳と脂っこい炒河粉《チャオホーフエン》とを味もわからずに腹に収めていた。しばらく傍観していたが、とうとう見ていられなくなって標準語で声をかけた。「ねぇ、マカオのどこに行きたいの?」

あぁ! 女の子は彼女にまっすぐ向かってきて、ほっとしたようにしどろもどろの広東語を標準語チャンネルに切り替えた。こんにちは! わたし、マカオ大学に行きたいんです。

わたしもマカオ大に行くところだから、わたしについて長距離バスに乗ればいいわ。カジノのバスは駄目、マカオ大があるのは横琴《ホンチン》島だから、バスを降りてからも車でずいぶんな距離を行かなくてはいけないもの。あなたは道もわからないでしょうし。

本当に? 助かりました! お姉さん、ありがとうございます!! 女の子は孫寧の言葉を聞くなり歓声をあげた。孫寧はそこで初めて、女の子の肌がツヤツヤで、にこにこした瞳には二十歳前後の若者だけが持つ星が煌めいているのに気づいた。シミもなければクマもない。きっと昨晩だけではなく、生まれてからこのかた毎日ぐっすり眠っているのだろう。孫寧は少し妬ましく思った。わたしだってマカオ大にいたころは不眠なんて知らなかった。だけど、いずれはみな老いるのだ。いずれは悪人に出会うのだ。遅かれ早かれ、いずれは壊れてしまうのだ。

マカオは初めて？

いいえ、去年友達と遊びに来ました。

あ、そう。

人が会話のはじめに「あ、そう」と言うのは、たいていの場合これ以上交流する気はないという倦怠を表している。彼女は大股でさっさと前を行き、女の子はリュックを背にして小走りについてきた。あっという間に彼女たちは並んで長距離バスに腰掛けた。彼女が先に座ると、女の子は当たり前のように隣に陣取ったのである。えらくなれなれしい。

お姉さん、ありがとうございました。百度《バイドゥ》で調べればよかったんですけど、わたしのスマホはローミングがオフなんで、交通案内が表示できないんです。

彼女の標準語は綺麗だったが、少し台湾風に聞こえた。たぶん福建《フージエン》人かもしれない。孫寧はあまりにイライラしていたので、彼女が同郷人かもしれないと思っても全然会話を続けようという気持ちになれなかった。

ああ、いいのよ、気にしないで。

お姉さん、昨日よく眠れなかったんですか？

孫寧は愕然として手を頬にあててみた。少し凹んでいるようだ。一晩眠れなかったくらいでそんなにやつれて見えるのだろうか。それともこの娘が口の利き方をしらないだけ？自分がお節介だったことを悔やむしかない。うっかり声をかけてしまったために、この二十分間ずっと付き合わなければならないのだ。

まぁ、大丈夫よ。彼女はごまかしながら言うと、この娘にはずっと冷淡にしてやろうと決心した。

お姉さんは何をしにマカオ大へ行くんですか？

先生に会いに。わたしはマカオ大を出てるの。

後半のセリフは必要ない。彼女は言ったとたんに後悔した。できるだけ関わり合いたくないと思っているのに、こんな余計なことを言ってしまって。こうなれば破れかぶれだと思い、逆に聞いてみた。あなたはマカオ大に何しに行くの？

ある男の子を探しに行くんです……前に来た時、コロアネ島で知り合った人です。お金を騙しとられた？　それともナンパされて捨てられた？　それで遠路はるばる追いかけてきたわけ？　孫寧はそう思ったが、さすがにそこまであけすけに聞くのははばかられた。

その男の子はどうして迎えにこないの？　ローミング設定してないなんて、道にまよったら危ないじゃない。誰かがあなたをカジノに売り飛ばしたらどうする気？　今度は少し脅してみたのだった。

別に彼氏っていうわけじゃないんです。彼女は恥ずかしそうに言った。マカオ大学の学生というわけでもなくて、ただその辺りに住んでいるっていうだけ。

星空と海を隔てて

文珍

マカオ大の近く？　住所はわかるの？

団地の名前しかわからないんです。あとは何号室かだけ。どこの棟かもわからないんです。

……団地ってものすごく広いのよ。どうやって探すの？

まず探してみます。女の子の声は柔らかかったが芯に強いものがあった。孫寧は、ますます彼女が騙されているのではないかという疑いを強くした。最初に感じた台湾風アクセントはだんだん薄れていったが、やはり南方人のようだ。LとNの区別がついていない。

その彼は……かっこいいの？　孫寧は眠くはあったが、つきることのない好奇心が湧いてくるのを感じた。ゴシップを聞きたいというのは人間の天性なのだろう。彼女にはまた、自分よりも不幸な話を聞きたいという暗い欲望があった。

いいえ。彼女は恥ずかしそうに言った。あんまりぱっとしない感じなんですよね。

じゃぁ、あなたは……

約束したんです。

約束？　ますます支離滅裂になってきた、と孫寧は思った。彼女は突然、詐欺師なのはこの女の子ではないかと疑い始めた。一体何がしたいのだろう？　もしかしたら、帰りの旅費を貸してくれと言われる羽目になるかもしれない。

去年約束したんです。今年の六月前に訪ねてきたら、コロアネ島にあるとても素敵なレストランに連れて行くから、一緒に星を見ようって。それからカジノに連れて行くねって言われたんです。一晩中スロットマシンで遊ぼうって。昨日学校でカレンダーを見て、あれ、あと二日で六月だって気づいたんですよ。それでぱっと彼との約束を思い出して、すぐに列車に乗って来たんです。

具体的な住所がわからないっていうのはどういうこと？　連絡方法を交換しなかったの？

しなかったんです。女の子は言った。ウィーチャットで相互フォローしようって言われたんですけど、その時は別の彼氏がいたので、ちょっとまずいなって思ったんです。

その彼とは今は別れたの？

はい。女の子は彼女のほうを向いて笑った。四月に別れたばかりなんです。

ごめん、聞きすぎかもしれないけど……。それって、そのマカオの男の子が原因で別れたってこと？

そんな感じです。女の子は少しのためらいも見せずに頷いた。その時、彼と話していてものすごく楽しかったんです、別に彼氏がいたってなんの意識もせず。そのあともずっと忘れられなくって、アドレスを渡さなかったことを後悔してました。でも、だからこそ面白くなるってこともありますよね。

もしも見つけられなかったらどうする気？

本当に駄目だったら帰るしかないですよね。もしかしたら、自分でコロアネ島に行って一晩中星を見るかも。そのレストランは竹園《ジューユアン》とか翠園《ツィユアン》とかいう名前でした。

コロアネならよく知ってるわ。孫寧は、ながらく忘れていた衝動に身を委ねた。もしもその男の子が見つからなかったら、わたしが連れて行ってあげる。島は小さいし、わたしがそのレストランに連れて行ってあげられると思うわ。

あぁ、お姉さんってなんていい人なんでしょう。女の子はまたこちらを向いて笑った。輝くような笑顔だが、瞳の中の星が煌めくことはなかった。もしかしたら、彼女の見せた好意が過剰だと思っているのかもしれない。彼女の連絡先を聞こうというそぶりも見せなかった。

孫寧はちょっと決まり悪くなって窓の外を見た。通りすがりの見知らぬ人に、こんなに簡単に好意を示すなんて全く馬鹿げてる。あんなことになったばかりなのに、全然懲りていないじゃないか。それというのも、この子が若くて天真爛漫で、いかにも世間知らずで怖いもの知らずだからだ。それなら、杜峰《ドゥーフォン》のことを信用しすぎてしまったのも自分の責任ということか。そう考えると、どういうわけか孫寧の気分はすこし楽になった。

もしかしたらわたしが泣き出してしまったのを見て、彼はわたしの鬱憤をはらしてやろうと思い、うっかりあの事件を口に出してしまったのかもしれない。副社長のところに行って直に告げ口したとは限らないではないか。それとも、もしかしたら小雷《シアオレイ》かも？　孫寧が気に入っているのは杜峰のほうだが、知り合いになったのは小雷のほうが早い。しかし小雷にはまだよくわからないところがあった。わたしが杜峰を贔屓《ひいき》していたのがよくないのだろう。しかし誰にどう親しみを感じるかというのは、どうにも他人には説明し難いものだ。幸い杜峰も美男子ではなかった。でなければきっといろいろな噂話が出回っていたことだろう。実のところ、孫寧は杜峰の私生活には興味はなかった。ただ、わたしが健康的な感覚を保っているという前提で、わたしが世話してあげられる人のことはみんな構ってあげたいと思っていただけなのだ。いったんこういう幻想を持ってしまうと、危険から逃れようとしてもなかなか逃れられるものではない。

思い切りがつけば、仕事を辞めたってどうってことはない。天気はこんなに素晴らしいのだから。カモメがそっと海の波をかすめていく。

窓の外は茫々と広がる大海だ。

気づかないうちに、バスはもう海上大橋を渡っていた。マカオでの生活の特徴は、毎日何度も海を渡ることがあるということだ。仕事の行き帰りに橋を渡り、窓の外の晴れ渡った静かな海に点々と浮かぶ小さな帆を眺めるというのは特別な都市経験である。もしかしたら毎日川を渡る街だって同じような感じかもしれない。しかし、なんといっても海のほうが広い。

孫寧は、いつもは根掘り葉掘り物事を尋ねるタイプではない。しかしこの日、彼女は無性にこの見知らぬ女の子と話を続けたくなっていた。彼女の言うことが現実ばなれしていると直感したからだ——彼女は自分がまた質問していることに気づいた。コロアネではどうやって知り合ったの？

わたしと彼とで……、彼女は言葉を止めた。元彼と二人で、去年遊びにきたんです。彼は一人で、コロアネ島の埠頭に座ってぼんやりしてました。ザガエフスキの『エンドレス』を手に持ってたんです。わたしたちから彼に声をかけて、それで知り合いになりました。

わたしが一緒に探してあげる。孫寧は出し抜けに言った。わたしの携帯はネットにつながるから。彼を探し当ててから大学に行くことにするわ。

女の子は決まり悪そうに彼女を見た。本当にいいんですか？　お姉さん、どうしてそんなにわたしによくしてくれるの？

マカオの新聞の三面記事にあなたの顔を見つけることになったら寝覚めが悪いでしょ。内心そう思ったが、口には出さなかった。


マカオ大学前でバスを降りた。彼女は、その団地がマカオ大から一キロくらいのところにあることは知っていた。どちらにしても学寮長とははっきり約束した時間があるわけではないのだから、昼前に着けばいいのだ。しかし、その団地がそんなにも大きいとは予想していなかった。女の子はただAブロック703号室ということしか知らなかった。この団地には少なくとも二十棟のマンションがあるから、一つ一つ回るだけでも半時間以上はかかるだろう。

お姉さん、もういいんです。女の子はすまなさそうに言った。わたし、本当にバカでした。あの時、彼の言葉がはっきり聞こえなかったのに、なんとなく聞き返せなかったんです。ウィーチャットでフォローしておけばよかったのに。

孫寧は彼女の遠慮にはとりあおうとしなかった。団地のマンション群をざっと見て、どういう順番でインターホンを鳴らすか心づもりしつつ、何気なく聞いてみた。あなた、何年生まれ？

二〇〇〇年です。

あら、ミレニアムね。

彼女の言葉には少し棘があった。彼女は八七年生まれだ。二人の年の差は十三だが、なんだか一世紀も開いているように思われた。この娘は、きっと職場のおっさんに無理やりキスされたり胸をさぐられたり、同僚に告げ口されたりするような事態を夢にも想像したことがないだろう。彼女は突然、いたずらしてみたい衝動にかられた。この女の子はどんなことも彼女に話したのだから、自分の話もしてやろう。どうせ旅先での一回限りの出会いだし、この子が自分に実害を及ぼすことなどあるはずがない。

ねぇ、わたしの目の周りに黒いクマができてるでしょう？　これ、昨日よく眠れなかったからなんだ。

……

五棟目のAブロック703号室まで来た時には、孫寧はこのうんざりする話をだいたい終えていた。見知らぬ人に腹の底を打ち明けるという行為には、何か徹底した痛快な感覚がある。特に聞き手が、子鹿のように天真爛漫な瞳を見開いて聞き入ってくれる時には。

恐ろしい……仕事をしていてそんなことが起こるなんて。お姉さん、胸を触られたあと、すぐに通報しました？

え？　孫寧はそんな角度からは全く考えたことがなかった。しばらく経ってから、呆然と女の子を見た。

わたしならすぐに通報します。女の子は言った。お姉さんはなんにも間違ったことをしてないじゃないですか、その林《リン》副社長とかいう人が完全に悪いんですよね。きっとわざとお姉さんにセクハラしたんですよ。お姉さんが体面を気にして周りに言えないだろうと侮ってたんじゃないですか。

なんと、この女の子は、彼女が思っていたよりずっと賢かったのだ。孫寧は粛然として彼女を尊敬の目で眺めた。こんなにすぐに問題の要点をつくなんて。それに……そんなに毅然とした方法を思いつくなんて。

　通報しないままでいたら、きっとまたハラスメントをしかけてくると思います。その人、お姉さんがあちこちで蜜兎《ミートゥー》されたと言いふらしてるんだって別の人に言ったんですよね？　たぶんですけど、そうするのには二つ目的があると思うんです。まず、お姉さんがそのことを誰かに言ってしまったんじゃないかと疑ってて、それで先手を打って、敵と味方を混同させたんじゃないかな。それからもう一つ、たぶんお姉さんを怖がらせようとしてるんだと思います。怖がらせて、それから自分の本当の目的を達成しようとしてる。

　どんな目的？

　その人、きっとお姉さんに気があるんですよね。だから最初は酔ったふりをして無理強いした。けど成功しなかった。それで、わざとこんな噂話を広めたんだと思います。大小《ダイシウ》みたいに博打《ばくち》に出たんじゃないでしょうか。きっと、お姉さんが直接会いにきて談判するほうに賭けてみたんだと思います。本当にお姉さんが個人的に話をしにきたら、そこで何かしてやろうって思ってるんじゃないかな……。

　なんでそんなにはっきりわかるの？　たしかにわたしは帰社したら彼に会いに行こうと思ってた。孫寧は驚きもし、怖くもなった。

簡単なことですよ。先生が言ってました、もしも真相がよくわからないことがあったら、最後に一番得をするのは誰か考えればいいって。たとえば今の話、そういう噂が出回ったとしたら、もともと何も悪いことをしてないお姉さんの評判がそこなわれるだけでしょう、だからお姉さんが自分で言うわけない。その二人の同僚だってそうです。お姉さんは、この事件をその二人しか知らないってわかってる。だったら、その二人が告げ口するのは彼らにとっても危険ですよね。お姉さんのポストだって、お姉さんがいなくなったらすぐに彼らが上がれるっていうわけでもない。じゃあ告げ口しても何の得にもならないでしょう？　特にその男の子、お気に入りの後輩なんですよね。お姉さんを師匠としていたっていうのに、学ぶだけ学んだら追い出しにかかるなんてことあるかしら。それにそのおとなしい女性の同僚。お姉さんを追い出したってことになったら、きっと別の人が彼女を疑うんじゃないですか？　お姉さんはいろんな人に好かれているから、お姉さんがいなくなったらきっと彼女は居心地が悪くなるでしょう。だからどう考えても、その上司が自分で言いだした可能性が一番高いと思いますよ。こうすれば、お姉さん一人をスケープゴートにしてみんなの見せしめにできるし、お姉さんに先手を打つこともできるし、そしてお姉さんが自分に屈服するかどうかも見極められる。一石三鳥ですよね。

孫寧は呆然としてしまった。その瞬間、もともとこの女の子を守るつもりで一緒にきたのに、そう思っていたのは自分だけだったということに気づいた。あなたこそ、わたしを守ろうとしてくれていたのね……。

女の子はもう一度孫寧の顔を見たが、今度はその瞳の中はまたたく星でいっぱいになっていた。だってお姉さんがとってもとってもいい人だから。お姉さんが辛そうだったから、そばにいてあげたいと思ったんです。

孫寧の目に、瞬時に涙が溜まった。もしも彼女に信仰があったら、目の前にいるこの女の子は天使だと思ったかもしれない。こんなタイミングで、こんなに困ったことのあった翌日に天から降ってきたなんて？　しかし彼女は何も言わず、ただ足を速めて一棟一棟マンションをまわるにとどめた。

十三棟目のマンションでは、ベルを押したものの長い間返答がなかった。もう引き返そうとした時、突然若い男の声が疑わしそうに響いた。広東語だ。

「はい、どなた？」

彼女は振り返って女の子をみた。女の子は自信ありげに言った。か・れ・で・す！

彼ら二人はインターホン越しに長い間問答していた。数分後に、男の子が降りてきた。見たところ確かに美青年ではない。しかし背が高くよく日に焼けていて、全体的にとにかく爽やかな感じがした。彼は恥ずかしそうに微笑みながら女の子のほうにやってきた。明日から六月だよ、時間ぴったりだったね。

孫寧は離れたところから腕組みをしてその様子を眺め、思わず微笑んでしまった。今ほど、自分がもっと若ければ、と願ったことはない。若い人だけが、一番簡単な方法でこの世界の明るい面を信じようとすることができるのだ。そして同時に、何かが起こった時、一目で物事の本質を見抜き、弱者を疑わないでいられるのだ。

あの時、通報するべきだったのだ、あの時すぐに。誰が言ったのかとか、言わないでいたのかということはどちらも本質的なことではない。

彼女は出だしから間違えていたのだ。

男の子と女の子は部屋に上がっていけと言ったが、彼女は笑って、遠慮しとくわ、楽しんでね、と広東語で答えた。女の子にはこう言った。わたしの電話番号持ってるでしょ、何かあったら電話してね。そしてわざわざ男の子のほうに向かって言った。この子はとっても頭がいいから、騙したりできないわよ！

そして、振り向かずに大股に去った。

どうしたいかがわかったから、学寮長に会ってもあれこれ質問せずにすむ。学寮長はもしかしたら彼女のことを心配してくれるかもしれない。年齢が上の人は、いつもあれこれ気を回すものだ。でも、体の具合はどうか、学寮では最近何か面白いアクティビティがあるか、そんなことだけ簡単に聞けばいい。七十過ぎの人は、卒業生に会うといつも喜んでくれる。学寮長が出てきた時、もう孫寧はしっかりしていて、見慣れた銀髪が遠くから近づいてきた時には心の底からの笑顔で立ち上がった。

四時間あまりののち、孫寧は再び拱北《ゴンベイ》の検査場に立っていた。

突然、あの女の子によく似た人影がカジノ行きのバス停の前にいるのを見たような気がしたが、遠すぎてはっきりわからない。近寄って同じデニムのワンピースかどうか、笑った瞳の星は午前と同じようにたくさんあるか、明るく輝いているか見たいと思ったが、すぐに見えなくなってしまった。たぶん、彼女の錯覚だったのだろう。

珠海《ジューハイ》空港で搭乗手続きを終えた。あと五分で離陸の時間だ。見知らぬ電話番号からの着信履歴はなかった。

でも老胡《ラオフー》には一度電話をかけた。辞職することを伝えようと思ったのだ。しかし呼び出し音がいつまでも響くだけで応答はなかった。彼女は突然、どうして老胡は昨日あのスクリーンショットを自分に送ってきたのだろうと考えた。彼女に伝えるよう副社長から言われただけではなく、もしかしたら老胡もこんなことは当たり前に起こることで、大人なら黙って我慢するべきだ、若い女ならなおのことだ、と思ったのだろうか。だとしたら、彼女が会社を去るのは個人の選択で、誰とも関係のないことだ。彼女は火傷したように通話ボタンを切り、携帯をオフにした。

飛行機が上昇すると、窓の外には煌びやかな星空が広がった。

女の子と男の子が、今頃もうコロアネについていますように。その素晴らしいレストランで、わたしと同じように豪華絢爛な星を見ていますように。どの星も女の子のにこやかな瞳のようだ。あの男の子は、この世界の明るい面をすぐに信じさせてくれるタイプだ。かっこよくはないけれど、みたところとても真面目そうで、恥ずかしがりで、そして優しそうだった。なるほど、彼女が一目惚れしたのも頷ける。

孫寧が眠りについた時、南半球の星々はみな大海の上にかかっていた。

隔着星空与大海 by 文珍
Copyright © 2019 文珍
Japanese language serialization rights arranged with the author through
Tuttle-Mori Agency, Inc., Tokyo

なあ、ブラザー

大前粟生

蟹が出たから蟹のまねをした。手をチョキにしてガニ股になり、砂浜を並行に歩いた。星が出たから星のまねをした。手をチョキにして隣のひとと繋げた。ちゃんと記号っぽい星のかたちにはならなくて、全員が両手を出したからだれも写真を撮れずに笑った。「星っていうより金平糖じゃない？」Aがそういうと、BとCとDは立体的になろうとして、金平糖っていうかコンテンポラリーダンスだった。踊っているうちに腕が絡み合って、そっちの方が星っぽかったが、それは彼女たち自身というよりも上から見たときの腕々のあいだの空白が歪《いびつ》な円のかたちだからで、じゃあウチらは星じゃなくてよかった、とBはおもったけど、なぜ星が嫌なのかはよくわからなかった。さっき通った蟹の足跡が風で徐々に動く砂に覆われはじめた。

だれの髪の毛かわからなかった。ちょうどCの手と腕の、あえていうなら境い目のくるぶしみたいなところに一本の髪の毛がひっかかるようにあった（あとで調べたところでは、手のくるぶしみたいなところは親指側を橈骨《とうこつ》茎状突起、小指側を尺骨《しゃっこつ》茎状突起と呼ぶらしい。もっとフランクな呼び方はどうやらない。へえー）。AもBもCもDも同じくらいの髪の長さで、Cはウィッグ。地毛の長さとほとんど変わらない。指を入れると空気みたいに通った。

最近Cは、地方の短い小説の賞に入選して五十万円もらって超うれしい。パソコンとウィッグと光脱毛器と机と椅子を、以前から決めていた通りに二十五万円分買った。あとは貯金している。ほとんど達成困難な目標だけれど、口座には家族や親しいひとが急に死んでも葬儀代を出せるお金を残しておきたい。ウィッグは来週Aに貸す。

女の子になりたいわけじゃないんだけどさ、とCはいった。

それをわざわざ言葉にするっていうのは、どこのだれへの恐怖なの？　Bはおもい、いつかCに直接聞いてみるかもしれないとアプリにメモしてる。

生きづらくって、とC。

それで、生きやすさとかを考えた。

俺には自己肯定感が必要？

そのためにはたぶん、美容とか、体を整えたりだとか。そういうのを考えると、女の子がやってる、っていう言い方もあれだけれど、女の子向けに開発された習慣や商品は俺の生きやすさに繋がるんじゃないかとおもった。

それは、あんたが男だからなんでは、とBがおもったのはこの海とはちがう、塩素のにおいと透明な水でかえって際立った水面のたくさんのゴミや人々の全てを降り注ぐ日光が真っ白に染め上げたプールサイドで、口に出すのはだいぶ酷かもとやっぱりメモをした。

今度はアプリではなかった。

みんなで共有しているグーグルドキュメントがあって、強がってばかりでひとの気持ちを考えない奴、強さを強要してくる奴、つまらねえ自分の人生をひとのせいにしてふんぞりかえってる奴、繕った笑いを他人に求めてくる奴……「いつか殺す奴しりとり」が、人生やお金の相談なんかといっしょに繰り広げられていて、Cは、一年ほど前から自認するジェンダーのつらさの話をはじめた。その時点にさかのぼってBは、男だからなんでは、と書いてみて、消して、やっぱり残した。いつかだれかが見たとき言葉が幽霊になって怪談を生むだろうか。すやすやと、スローモーションみたいな水面で仰向けになったAが流れてきた。もうすぐで頭を打つからCといっしょに手を添えて、こういうとき、より痛い側でいようとするのはBよりもCの方だけど、本当に痛いかどうかは別。

男だから、特権的なんだ、とCがいったのはその三か月後、湖のほとりでだった。黄色いくちばしと地続きの鶏冠に瘤のある鳥が何羽もこちらを見ながらときどき甲高くてざらついた断末魔のような声をあげた。グウビビビベエベエ！　聞こえるたびにCは言葉を一旦止めた。

「女の子はこれをやるもの、っていう呪いの部分を俺は男だから最初からはじけている気がする。男のくせに、とか俺にいってくるやつはいるけどその呪いは、ただただダサいだけだから無視してよし。そう、俺は無視できるんだよな。求められていないことをできるっていう、そんな程度のことがこの社会では自由さで、俺は、全然知らないひとに恨まれているのかもしれない、女の子がやること、とされているものを俺が別に女装とかでもなく普通にやることでなにかを無効化しようとしてるのかも、ハハ、ハハ」

ヘヘアハハ、とCが虚ろに笑うのがAには、こっちが気を遣う余地を潰そうとする冗談のような笑いにおもえてCと過ごしやすいし、Bにはきつい。こわ、とおもう。自虐と裏表で自分を誇るような笑いに聞こえる。えらいとかじゃなくってさ。いやほんま。おまえ、えらいとかじゃないやろ、Bはわいてきたむかつきを胸のなかでくゆらせて、そのままでいる。Cに直接いうのは気まずいかもしれないけれど、いってもよさそうではある。でもたぶんいわない。Bはだれに対しても距離を置きがちで、そんな自分のことが嫌いじゃない。怒ったら歯止めが効かなくなるんじゃないかなと想像のなかの自分を抑えている。人生でたぶん一回も、面と向かって怒ったことがない。文字では怒りを表すこともあったけど、それは文字だからだ。SNSを使いはじめた小学生のときから自分の気持ちは声より文字にあった。といってもそれも、予定調和だ。ノリとか仕草とか、文字列としてのある程度のフォーマットに自分の感情が収まってしまうことがBには楽だった。さびしかった。

それなりに無害でいようとして無害でいることで、Cは反面教師として加害の仕方を理解している。嫌っているからこそ酔っぱらったときや寝言にミソジニーが出たらどうしよう。俺はやばい。被害に共感してダメージを受けるし、加害にも罪悪感ってかたちで共感して傷を負うからいつかやばい。マジで、文を書いているとき以外の語彙がない。文が文を呼ぶから俺はその連なりで事後的に思考を得ているだけで、文章としての体を持っていたとしても俺の体はどこにある？　バチ！　バチ！　と剃り残しの毛が脱毛器の光で燃えるときの痛みとにおいに体を錯覚したい。サングラスをしてバチ！　部屋のぜんぶが光って陰る時間に自分を改造する。俺の共感は支配欲と紙一重。生き続けることができるんだろうか。ふぁぁあうわ。あくびをし、いつまで腕を組んでいたらいいんだろうとDはおもった。輪をほどいてひとりになると涼しい。少しさびしさがまざっている分だけ涼しさは余計に心地いい。暗くてもみんなの顔がよく見える。時間の白いしっぽみたいな波が無限に消えては発生していた。Dにはどうしても波も波の音も、この世のものじゃないようにおもえる。生まれてから一度も止まることなく、音を発し続けているなんて。頭上だけじゃなくこの海の先に空があり、空の先に宇宙があるんだっていうこと。もし宇宙から見てみるとどうだろう。この青い星のなかにわたしがいること、想像できるだろうか。

「なんか、おもいだした」

「なにを」

「漫画。まるが描けへんっていうやつ」

「なにそれ」

「小学生くらいの男の子が、まるを描くことができひんねん。地球が自転してて、それで公転もしてるから、その地球の上に立ってる自分はぐにゃぐにゃ移動し続けてるってことやから、うまいことまるが描けへんねん」

AもBもCもDもEも、グーグルドキュメントは通知をオフにしても違和感がないのがうれしかった。書くことにも返事を待つことにもどきどきしたくなかった。そもそもが中三のとき、結婚を機に学校をやめる担任を送る会で任意のグループで出し物をすることになり、中学に軽音も吹奏楽部もなかったがたまたま楽器を持っていたのがAたちだった。

全員打楽器だったのがかえっておもしろかった。放課後の屋上で先生を囲みながら叩いた。先生はずっと爆笑しながら動画を撮っていて、いやそういうんじゃなくてもっと踊ったり、とDはおもった。自転車の練習中、転んで抉れた幼い膝のような生々しいピンク色の空の下で、先生が授業用のユニクロのカーディガンをフェスみたいに振り回して飛び跳ねているところをときどき夢に見る。

出し物の連絡手段としてはじまったグーグルドキュメントは「出し物」というタイトルでしばらく続いたが、「いつか殺す奴しりとり」がはじまるとタイトルもそれに変更された。Dが鬱っぽくなったときに、殺す奴おもい浮かべたら元気出ぇへん？　とBが提案したのだ。それ以降いつか殺す奴しりとりが続いている。いつか、やめたい。いつか殺意なんかなくてもやっていけるようになりたい。全員、そこまで仲がいいわけではないけれど集まるとよろこびがある。今回はCが焼肉を奢ってくれるということで集まって、ついでに海に出た。きのうも今日も海は変わらないように見える。本当は変わっているのに、人間の自分たちにはなにも見えないのが安心、みたいなことを、言葉はちがっても全員がゆるくそれぞれの時間でおもうことがあった。そして単純に、水があると気分がスッとした。きれいな自然をあいだに挟むと気持ちよさがあり、人間同士の距離を詰めないでもよかった。たぶん、とBはおもう。これ以上なかよくなったりするとウチは離れるかもしれないけど、「いつか殺す奴しりとり」にとってそれは悪いことでもないようだった。

ドキュメント上にはEもいた。中学以来一回も顔を見せないけれど、いまこの瞬間もしりとりには参加し（疲れた心に追い討ちをかけてくる奴）、他にも大学生活の嫌なことや日記的なものを書いていて、それはそれで楽しそうだ。「チワワが前から三匹歩いてきてケルベロスだとおもった。今日でやめるバイト先の嫌な先輩のロッカーの名札にボールペンで線を書いた。これは一見ただの縦線にしか見えないが、実は中指を立てているのだ。くくく……。夢のなかで私らは中年になっている。わりとまし、というか、中年になってもわりとまし、むしろ楽しい、とおもわせてくれる映画や小説が増えてきたからかもしれなくてうれしい。なぜか全員ポケモンのコスプレをしている。おばあさんになってもまた会おうぜ！　と約束をする。『ぜ！』っていうのが気になった。結局最後は男のまねみたいになるんか？　でも会えたらうれしい。わたしは顔を出すかはわからんが」

わかる。SNSでバイブスを上げるとき人称を「オレ」にしたりはウチもする。それは男のまねというより人称を自由に選べるアゲの気持ちの方が大きいけれど、でも男の人称だから使ってる、みたいな部分もあるのかもしれない？　いや、いやいやいや。そこを気にして人称や語尾を制限するのはおかしい。ウチらはどんな言葉でも使える。それはEもだぜ。性別なんかで区分けされてきたことでまだ言葉にはしこりがあるかもしれないけれど、言葉は言葉だ。ウチが使う。みんなが使う。自分らで勝ち取っていく。当たり前や。当たり前に未来の方が楽しい、自由だ。そうなっていく。そうしていく。中年になっても、できたらこの距離感のままときどき会ったりはしたい。こういうクッションみたいな集まりはいくらあってもいいとBはおもうけれど、CはEの書き込みを見たとき不安になった。中年の自分なんてまるで想像できない。いま十九歳で、三十歳はぎりぎり想像できる。いまとそこまで変わらない気もする。でも四十とか五十とかって……。周りの同性の大人は

なあ、ブラザー

大前粟生

仕事か金か異性か家族の話をしている。それは噂みたいに他人事。外部化できるような出来事ばかり。噂を話す彼自身の気持ちには実態がない。幽霊みたいだ。情緒のありかがわからない。参考にしたい同性の年上がいない俺は、おじさんのことがけっこうこわい。無視はできるんだけど身構えてしまう。俺を傷つけるっていうよりも、別に俺を傷つける意思なくむしろ親密になろうとして発した言葉で傷ついたりする。なぜなら彼は「男同士」俺となかよくしようとするからで、他人と距離を縮める方法をそれ以外知らない。男同士なかよくしようとするときに、他者を排除するしか方法を持っていない男がたくさんいて、喫茶店や食堂で男だけのグループを見ると本当はそうじゃないかもしれないのにそういう言葉が交わされてるんだと想像しちゃうからずっと音楽を聴いてる。そしてイヤホンを外すと、ほんとにそういう言葉を耳にするんだ。どういう言葉かって？　ここには書かないよ。無視したいから。もう俺は、といっても物心がついてからの十五年くらいだけど、女性蔑視の言葉とかもう疲れた。死ななければ、疲れたまままこれからを生きていく。疲労で生まれた諦念を覚悟と勘違いしたくはない。ひとを差別できる奴っていうのは心が元気だし体力があるから、きっと俺が四十歳になったときには彼らよりも老けている。別にそれでいい。ガハハ！　って笑うおじさんになりたくない俺はたぶん、おばさんになりたい。それでおばあさんになりたいんだ。いまのところ俺はシスジェンダーのヘテロセクシャルだけれど、そのままでもメンタルがおばさんでおばあさんに。だっておじさんよりおばさんの方がイケイケじゃんか！　オッシャフゥー！

　っていう、躁状態の起こりはじめにはもうCのなかで客観化が行われていて、おじさんだって生きづらいよな。わかる。でもそれは自分でなんとかしようとしてみようぜ、と俺はおもうけど、俺はまだ男社会にガチガチに搦め捕られてはいなくて身動きが取れるからそうおもうだけなのかも。おじさんそのものっていうより、おじさんに代表される男社会と資本主義が苦手なだけなんだ。それにオッシャフォーだなんて。生理も妊娠も婦人科系の症状も俺にはこないし性差別もそこまで受けないから無責任に期待ができるだけなのかも、としんみりして眺めた海には夜が降りて真っ黒い。ときどき海面に星がうつるのが見えても、そんな小さなものはすぐ波に潰された。Cは海が荒れているときの方が好きだ。凪いできれいなばかりでは耐えられない俺は、引きずり込まれてしまいたいのかもしれない。いまがきっといちばん楽しい。俺はもっと同性の友だちにも俺が「男性」であることの悩みを相談できたらいいんだとおもう。でもその過程で相手からミソジニーが出てきたりしたら、もうだめだ。彼がその発言をすることよりも、空気を読んだ俺がいっしょに笑ってしまうかもしれないことの方がこわい。いつか殺す奴しりとりに、自分の名前を書こうかなとさえおもう。バチヨン、と音を立ててCは海に倒れた。

おばさんになりたい。言葉として表れるニュアンスよりもCは深刻に悩んでいる。その肝心な部分を見る元気がなくて、言葉にすると浅くなる。それくらいの方がいい。アイデンティティが俺にはいらない。こんな社会で自己なんて保ちたくない。こだわりを持ちたくない。こだわりはすぐに呪いへと反転するから。女たちの邪魔をしたくない。力がほしい。力とはちがう力が。差別されるひとも、差別するひとさえも傷つけず、怨念を生まずに男社会だけを消去できる力がほしい。切に願う。けど、そんなのは、全然だめだろ……

とおもうＣもいる。俺なんか別に、いらんやろ。「理解ある男性」なんて、溜飲を下げてしまってるだけなんとちがうんか。もしかして俺は、女たちはもっと怒っていいんだ激怒していいんだと祈るように、敵として振る舞った方が有意義なんでは。立ち上がれよ。俺を殺せよ。殺してくれよ。だって俺は、こんな男社会に生まれてきてしまった。つらくないわけがねえよ。どうして生きないといけないんだ？　そうやって自己陶酔したあと、はあ？　とＣは自分にキレる。いやいや。なあ俺、女に期待するポジションを選んでんじゃねえ。自分で動けよ。見物してんなよ。なあ俺、なあブラザー、俺たちはどう怒る？　自分たち「男」のために怒ると最低で、自分たちが最低だから、社会のために怒ろうとするとどこの輪からも離れてしまって、本当に手を取ってくれるのは鬱だけ。声をあげようとすると希死《きし》念慮《ねんりょ》が増していく、こんな気持ちなんて、十年後にはだれにも理解不能になっていてくれ。そのためにいいたいことをいえよ、最低なことを最低といえないブラザー。なあ、ブラザー。俺たちはシスターといっしょにどう怒ることができる？　教えてくれ。いつまでも冷静なふりをしやがって。歯が、欠けるような震えと共に海水が口のなかに侵入してくる。鼻のなかに入ってくる。俺の痛みなんてどうでもいいだろうが。

ええーー。なにしとん。ＢとＤが引き起こし、Ａは写真を撮った。

あははは、Ｃは笑った。

「俺、おまえらといたいねん。見捨てんといてくれたらうれしい……」

声として出るのは、こんなこと。

「なんやそれ。許可とかいらんやろ。勝手におりぃや」

Bの言葉にCは泣きたい。
AのiPhoneがフラッシュを焚いたとき以外お互いの輪郭しか見えない暗さで、Cの髪を伝った水滴が腕に落ちてくる。Cの服についた砂がBとDの体にうつった。

Cが書いた小説では、空から髪の毛が落ちてきた。雨のように髪の毛が降り続き、新しい地面になった髪の毛の上で輪になって三つ編みを作りながら登場人物が自分たちの名前をつけていくという話だった。だって名前とか、勝手につけられたんだから。自分の名前くらい自分で愛するものにしたい。そこで恋愛はなかった。登場人物たちの見た目は描写されず年齢もわからない。性別のないような名前ばかりで、Cは文章であることから生じるできる限りの人物間のフラットさを描こうとした。Cは高二から小説を書いてきた。平等を志向することで滲み出る人物たちの繋がりを、書けるかはわからないとおもいつつ目指してはいるけれど、それはそれで文のなかに閉じこもっているのだという自覚があった。文章は書かないことができる。ルッキズムや性差を消去できるけどでもだって現実ではどうなわけ？　それに自分は日本に生まれて周りも日本人が多いから人種というものに鈍感でいられているだけかもしれない。解像度が低いから俺はフェアとか目指せているだけだったりして。恋愛は、別にしなくてもいいし、というよりも恋愛で生じる人物のいろんな差異を自分はこわくて直視できないのかも。フェアを目指すことがいつか危うさを呼んでしまいそうだ。応募して、しかも入選したことでCの心臓は熟れるように痛んだ。

なあ、ブラザー

大前粟生

Cのペンネームは「愛丸」と書いてらぶまるという。けれど、最終選考に残る知らせと共にその文学賞に携わっているフリーの編集者から「らぶまるはちょっと」といわれ、本名の苗字＋愛丸《あいまる》とした。ちょっと、といわれたことが、裏アカで二週間呪い続けるくらいショックだった。吐き出すと同時に興味がなくなり、授賞式も地方新聞のインタビューでも機械的に笑うことができた。愛丸はもう小説を書かない。

けど、グーグルドキュメントにはそれらしきものが散見された。

「なあこれって小説？」

画面を見ながらDはルームメイトのFにいった。Dはわざわざ、Cの小説が掲載された地方新聞を取り寄せて読んだ。わたしがわたしに名前をつけるならそれはなんやろう？ DはFと学部がいっしょだ。Fは前のバイト先がいっしょだったCとつきあっている。

「木漏れ日が手のひらにあたるところで立ち止まった。手を上下に動かして俺の頭の上、見えないところでどう光ってるか想像するのがいちばんうれしい」

画面の文字列をFは読み上げ、「さあ？　うれしいとかけっこうラブいうよ」

「ふぅーん」

Dはスマホをベッドに放ると、剥がれかけで海岸線のようだったマニキュアを除光液で落として別のを塗りはじめた。〈時空〉という名前のマニキュア。その乳白色をじっと見ていると眠くなってくる。同じのをFとCも持っている。FはCのことをラブと呼び、CもFをそう呼ぶことがあった。

ラブっていうのは俺らの関係性の名前なんだとCはおもっている。俺とFのあいだにあるもので、俺個人がラブを持ってるわけではなくて、ときどきラブは自然にもうつった。Fと公園を歩いてふたりで見る鳥、虫、植物、水。名前を知らないほど漠然とおもいを委ねることができたのは、俺らが人間で、自然ではないからだ。それはなにか失礼な気がして都会にふたりで旅行にいった日はDの誕生日が近くて、たまたま見つけてお揃いで買うことにしたマニキュアをDにもあげることにした。自分の顔や装いにぴったり合うわけではないけれどDはたまに塗る。だれかとお揃いであるということが想像を飛ばすから。ふたり以外にもこの瞬間、だれかが同じ色を塗っているかもしれないし、それこそ別にこの瞬間じゃなくたって、塗ったり見つめたりしたひとと時空を超えて繋がってるかもしれないって、だいぶ気休めというか冗談っぽくDはおもう。駄洒落みたいなそのささやかな想像が、ないよりはあることで目に見えないところで助かってる気はする。

Cがつけていたウィッグは、Fといっしょにお店に見にいったものだ。それをいまAが被り、焼き芋みたいな色の電車に揺られ、パートナーと遊園地に向かっている。そこでは元カノが働いているかもしれないからAはウィッグで変装する。そのことをAは今カノのGにも伝えていて、ふたりはそういうちょっとした緊張感のギミックでマンネリを突破するつもりだと暗黙に了解していたけど、Gは普通に嫌だった。男役、なんて言葉はふたりとも絶対使わないが、ときどきAはGが男っぽく振る舞おうとしてるんじゃないかと感じる。Gは先月、それはそれで呪いだからとAにいわれたことを気にしていた。仮にそうだとしても「男っぽい」っていう前提はなに？ わたしはわたしがしたいことをしてるだけなんだよ？ ということをAにいってみようと、昨日からシミュレーションをはじめたこ

なあ、ブラザー

大前粟生

とで眠れなかったし肩が凝って仕方がなかった。練習しすぎてそれはもう自動再生のようで、やっぱりいわないでおこうとGはおもった。

時空を爪に施し終えるとCは、作りすぎたみそ汁に追加するための豆腐を買いにスーパーにいくだけなのに玄関で数分悩んだ。

無視してよし、とかいったのに、マニキュアをつけて外を歩くのは緊張する。

「時空を爪に施し終えると愛丸は、作りすぎたみそ汁に加えるための大根を買いにスーパーにいくだけなのに玄関で数分悩んだ。

無視してよし、とかいったのにマニキュアをつけて外を歩くのは緊張する」

とグーグルドキュメントに書いた。自分を登場人物として語り、「がんばれ!」とおもうことをたまにしている。でもこれは小説じゃない。なんやろうこれ、Dは更新された文字列を見て、「似合ってるやん」と書き込んでみた。うれしい。今度電話するときFに話そうと愛丸はおもうのだった。

俺はいま愛丸なんだから、この名前に性別なんかない。

名前を得たついでに人称も変えてみる。

わたしはいま愛丸なんだから、この名前に性別なんかない。

私はいま愛丸なんだから、この名前に性別なんかない。

俺はいま愛丸なんだから、この名前に性別なんかない。

いくつか試してみて、やっぱり「俺」に戻した。元々が俺は男だから自由に人称が使える。じゃあ「俺」を引き受けて「俺」のまま自由な愛丸でいることはなにかのためになるんじゃないか。でもなにかってなに?

わからないから愛丸はここ何行かのくだりもグーグルドキュメントに書いた。とりあえずだれかが読める場所に書いておけば、考えは俺だけにとどまらない。いつかだれかの役に立つかもしれない。

その考えはいいことだけれど、俺がそうおもうのはちょっと傲慢かもしれない。でも、傲慢かもしれないとおもってしまうことこそ、

「あんたが男だからなんでは」

編集画面をスクロールしているとその文言を見つけ、やっべぇ、と愛丸。いまが鬱っぽい時期じゃなくてよかった、と腕をさすりながら笑った。つらさを他人のせいにして笑う奴、罪を重ねる奴、疲れた心に追い討ちをかけてくる奴、月日の流れに身を委ねず頑なに変わろうとしない奴……「いつか殺す奴」があふれる画面に、ひとりくらい幽霊がまざっていてもわからない。「あんたが男だからなんでは」「あんたが男だからなんでは」「あんたが男だからなんでは」何度か繰り返し声に出してみたが、なにも感じなかった。俺は極端だ。画面の上や本の言葉が自分に向いているとはおもえないし自分が書いた言葉だってそう。一度その平面に収まると他人を見つめるように自分とは関係がないと感じるのだった。いろいろなものから俺はきっと距離を置きすぎてしまっていて、傷ついているとき以外、この感慨のなさがデフォルト。それもやっぱり、「俺が男だからなんでは」そう呟いてみて、いやいや……とまた距離を取った。新しい主語がいる。それはなんやろう、愛丸は考えたけど、体がぼうっとして街の容れ物になったように雑踏が入り込んでくるばかり

で、何度もSNSを更新して時間を無駄にしたあと、豆腐を買うのを忘れてスーパーをさまよい、あー、みんなに会いて〜、と汗みたいに気持ちがわいてきたけど、会お〜、と書き込んだのはDだった。「うん」「おす」「会お〜」「私は今回もNG」と次の日にはきていた。

自分ひとりの習慣としてDは本を一冊読み終わるとひとと会うことにしている。感想を伝えたりはしないが、みんなとのとりとめのない会話や目に入り込んでくる景色を、本のなかに流れていた時間とぶつけたい。遭遇させたいとおもうのだった。読み終わったのは小説で、出てくるのはある作家と、彼女が書いた本を読むひとと、その本の登場人物と同じ名前のひと、それぞれ異なった時代に生きる彼女たちはDのなかで出会った。

集合したのはやっぱり水がある場所で、海には何度きてもよかった。何度きてもこわかった。呑みこまれたら死ぬけど、わたしが死んでも海はあるし、とDはおもう。いや、死にたいとかじゃ全然ないねん。むしろ生きたい。最高の人生を送りたい。でも死んでも別に大丈夫っていうか、なんていったらええんやろう。海があるやん。自然があるやん。わたしがおらんくなっても、ここに残っているものがあるやん。みんなが覚えてくれてるし、景色とか家だってわたしのこと、記憶してるかもしれへん。それはハッピーなことかも。少なくともいまはそうおもえる。Dが波を見ながら微笑む隣で、砂にうつる手の影であそびながら声がした。

「俺は愛丸。愛丸って呼んでくれ」

事情は知らんけどアガりたいんやろうなあと察したDから順に、「愛丸」「愛丸」「愛丸」と呼んだ。「えっと、ラブマルさん?」

Gがいった。Aがつれてきたのだった。男だ、とGはおもった。女四人のなかに男がひとりというのはなんだかめずらしかった。逆の配分だと腐るほど見たことがあったから。へえ～、と愛丸を眺めたあとGは、いやいや、男に見えるけど女のひとかもしれないしどっちでもないかもしれないし、とおもいなおした。というかそれをいったらBさんもDさんも、Aだって、「女」とは限らない。そのあたりのこと、愛丸たちに聞けるくらいになかよくはならないまま集まりに何度か顔を出した。その日Gは「わたしはわたしがしたいことをしてるだけなんだよ」とAにいった。声に出すとAやその場にいるひとだけではなく、もっと遠くに言葉が届くおもいがした。最初から、遠くに向けていえていたらよかった。Gにとっては愛丸も他のひともめずらしかった。やさしかった。それが気持ちよくてGは顔を出さなくなった。やさしさみたいなもので自分が弱くなってしまいそうだから。そのときGはGではなくてシャーリーズ・セロンだったけど。

「みんなは？」

愛丸が聞いた。

「みんなの名前」

「ん？」

とB。

「B」

「A」

「D」

なあ、ブラザー

大前粟生

「Gです」

「俺は愛丸。これが俺の自分でつけた名前。愛を〜くださあいいい。うぉううぉう」

「なにそれ」

「ユーチューブで流れてきた。俺はくださいっていうか与えたいっていうか、俺にはなさすぎるからあった方がいいねん」

「なんの話なん」

「愛」

「アハハ」

「愛とかなくてもええとおもうけど」

「でも、四十とかになったときにたぶん俺にはいるねん。俺は外に向かう愛がほしい。内に向かう愛は俺を俺がなりたくない中年にする。俺はおじさんじゃなくておばさんになりたい」

「そうなん？」

「ああちがう。女になりたいわけではなくて。イケイケのおばさんバイブスがほしいねん。勝手にイケイケにしてしまうのはアレやけど」

「イケイケのおばさんバイブス」

「うん。まあ、そういうことやねん」

「どういうことやねん」

「なんの話やっけ」

「名前」

「ウチも自分でつけよかな。なにがいいんやろう。寿司……ローマ字でＳＵＳＨＩ。いや、ハンバーグでも……。うーんちょっとパス。しばらく悩むわ」

「わたしは強烈な光」

「えっ」

「そういう自分でいたい。目が眩む、強烈な光みたいな。あとはエビフライでもいい。エビフライ見たら脳がピカーッてかがやくねん」

「じゃあエビフライも実質強烈な光では」

「あっそうか。じゃあわたし強烈な光とエビフライ」

「ふたつなんや」

「うん。ふたつ。どっちで呼んでくれても構わんよ」

「わたしはシャーリーズ・セロンですかねー。なんかベタかもですけど」

「めっちゃいいですねめっちゃいいです最高。シャーリーズ・セロンと強烈な光／エビフライのカップルめっちゃいい」

「決めた。ウチは早西京子」

「たべもので悩んでたのに本名やん」

「ウチ自分の名前好きやし。おかあさんとおとうさんのことも考えてみたら大好きやから」

「へえ〜すご。いいですね〜」

なあ、ブラザー

大前粟生

「Dは?」

「わったしっは〜、寿限無寿限無五劫のすりきれ海砂利水魚の水行末雲来末風来末……」

「なにそれ」

「えっ。寿限無知らん?」

「ジュゲム?」

「知らん」

「ボケてみて損した気分やわ。ほんまはペロ」

「ペロ?」

「うん。いっしょに生きてきた犬。高校のときに死んでしもうた。ペロがいなくなってもずっといっしょにおる気はするけど、もっといっしょにおりたいなあって。わたしはペロやから、ペロもわたしやねん」

わーん、
声をあげてシャーリーズ・セロンが泣いたので、みんなで近くのコンビニに駄菓子を買いにいった。たべながら砂浜に戻り、二千円分も買ったお菓子は一向になくならなかった。砂浜のそれぞれ心地のいいところで、

「強烈な光/エビフライ」

「早西京子」

「愛丸」

「ペロ」

「シャーリーズ・セロン」

「強烈な光／エビフライ」

「早西京子」

「愛丸」

「ペロ」

「シャーリーズ・セロン」

繰り返し、バラバラに立ってぐるぐる回転するように声を出すと元気が出た。新しい星座のかたちで呼び合う彼女らは光になって、何億年も、距離がある限り届き続ける。スナック菓子の粉が口からこぼれる。海風に乗って舞い上がっていった。カモメが器用に手元のうまい棒をさらう。うらぁぁぁぁ！　早西京子が怒鳴った。切り裂くようにカモメが空を遠く泳いでいくほど早西京子の叫び声も距離を伸ばす。長く続くことで風に研磨されたようにピンと張り詰めた声は、鳥に届いたときには共に刃のかたちになった。

早西京子が怒るところを見たことがない愛丸は、うれしかった。

線香花火みたいな爆発する夕陽を背景に砂の上を歩く蟹の影が足下まで伸びてきた。強烈な光／エビフライが写真を撮り、ペロが少し笑い、みんなで手をチョキにしてガニ股になって砂浜を並行に歩いた。星が出たから星のまねをした。手をチョキにして隣のひとと繋げた。ちゃんと記号っぽい星のかたちにはならなくて、全員が両手を出したからだれも写真を撮れずに笑った。「星っていうより金平糖じゃない？」強烈な光／エビフライがそういうと、早西京子と愛丸とペロとシャーリーズ・セロンは立体的になろうとして、金平

なあ、ブラザー
大前粟生

糖っていうかコンテンポラリーダンスだった。

「えーーなにこれいいなあ」

あとで動画を見たFは、ペロといっしょに部屋で踊りながら名前を考えた。スーパーギャラクシーというその名前には飽きて、十日後には室外機になった。「室外機ってかっこよくない？」と室外機はいったが、他人から室外機と呼ばれるのはむかついたので、しばらくは芍薬、かき氷、ミッフィー、図書館、貞子、伽耶子、ウニ、レタス、バス、橋、好きなものを一日ごとにランダムに名前にしている。朝目覚めると愛丸に名前を送る。愛丸は同性の友だちを作ろうとおもった。でも彼がこわくないかどうか、どうやって判断したらいい？　前もって情報がほしいから、最近は学部の連中のSNSを執拗に見てパーソナリティを推察している。俺なにやってるんやろう、と苦笑いしながら別タブの画面を更新すると、早西京子が呪詛のような長文を書きつけているところだった。その隙間で、名乗りたい名前とかある？　Eに聞いて、こたえが返ってくるのを待った。

三年も経つと、愛丸とフルーツサンドという名前に定着した元Fは婚約した。といっても、フルーツサンドは愛丸よりも多くの時間をペロといっしょの家で過ごしている。煙草を吸うために彼女たちがベランダに出ると、景色とぴったり張りつくように静まった夜中の暗がりのなかに、ひとの輪郭がいくつもあった。彼女たちは楽しそうに揺れ、踊ってさえいるようで、その振動で世界が剥がれていくところだった。いつからそうしているのか、幼く聞こえる声も老いて聞こえる声も浮かび上がっては繰り返され、さらにさらに距離を伸ばしていった。

「クレパス」
「牛タン」
「ウテナ」
「ケーブルテレビ」
「世界中のコッペパンを食う女」
「スーパーハイパーウルトラワイルドたかこ」
「超ゴージャスウチら死ぬまで死んでも最高最強離れてても絶対絶対安心大丈夫殺し殺され仲違い離別悲しみ怒り上等全部ひとり残らずウチら愛がある奴ない奴みんなやってこいやってこなくてもいいんだ勝手にしやがれ全員エネルギーなんだ男社会をぶっ殺す人間アゲてけアゲてけ祭りなんだよ別に引きこもっててもいいんだお疲れ様です最高でも最低でもおまえの人生はウチらが誇ってやる勝手に誇るなって奴はじゃあ自分で誇れるまで応援してる助けてやるウチら生きてる女も死んでる女もひとり残らず救ってやるその呪いを解いてやる丸ァァァンド、そんなん考えてられないほど疲れ切ってしまったときでもウチはただウチとして最高、そして最強の生命体」
「私」
「光」
「暗やみ」
「時間」
「川」

なあ、ブラザー

大前粟生

「幽霊」
「記録」
「よろこび」
「クレパス」
「牛タン」
「ウテナ」
「ケーブルテレビ」
「世界中のコッペパンを食う女」
「スーパーハイパーウルトラワイルドたかこ」
「超ゴージャスウチら死ぬまで死んでも最高最強離れてても絶対絶対安心大丈夫殺し殺され仲違い離別悲しみ怒り上等全部ひとり残らずウチら愛がある奴ない奴みんなやってこいやってこなくてもいいんだ勝手にしやがれ全員エネルギーなんだ男社会をぶっ殺す人間アゲてけアゲてけ祭りなんだよ別に引きこもっててもいいんだお疲れ様です最高でも最低でもおまえの人生はウチらが誇ってやる勝手に誇るなって奴はじゃあ自分で誇れるまで応援してる助けてやるウチら生きてる女も死んでる女もひとり残らず救ってやるその呪いを解いてやる丸アァァァンド、そんなん考えてられないほど疲れ切ってしまったときでもウチはただウチとして最高、そして最強の生命体」

桃子さんのいる夏

こだま

村役場に勤める幼なじみの笹島から「折り入って相談があるんだけど」と呼び出されたのは一学期も終わりに近づいた七月半ばだった。

夏休みの算数の課題をホッチキスで留め、職員室の時計に目をやると約束の十九時を回っていた。あわてて荷物をまとめ、教室やトイレの電気の消し忘れがないか確かめて歩く。美沙は今年の春から生まれ育った村の小学校に赴任した。教職十六年目、三十七歳。小学校の卒業文集に「将来この学校の先生になる」と綴った強い筆圧の文字が頭をよぎる。

少し離れた地方都市の小学校に勤めながら、漠然と「いつかは」と考えていたけれど、新聞の記事で母校が廃校に向けて動いていることを知り、いても立ってもいられず異動を志願した。「いつか」が消えてなくなる前に。

校舎は美沙が卒業したあとに改築されたが、そのまわりには当時のまま、涼しげな表皮の白樺の木が等間隔で並んでいる。水はけの悪いグラウンドも変わっていない。

年下の同僚たちはいつも手際よく仕事を終えて帰る。美沙が何時間もかけて完成させるような資料を、彼らは退勤前の一時間で終わらせる。でも、決して雑ではない。何が大事か、どこに力を注ぎ、どこをほどほどにするか。その配分を心得ているように見える。一

桃子さんのいる夏

こだま

方、美沙には、それがわからない。いったん手を付けると作業の切れ目を見つけられない。ここをもう少し工夫してみよう、いやこっちがいいか。そうやってこだわり始めたら時間がいくらあっても足りない。学校を出るのはいつも最後だ。

今夜も村は霧に包まれている。湿り気のある重たい空気はこの時期特有のもので、広大なたまねぎ畑が闇にぼんやりと浮かんで見える。美沙は首すじの汗を手の甲で拭い、車の窓を開けた。たちまち車内が湿った土の匂いで満たされる。幼いころから変わらない夏の匂い。

この村にあるのは住民が「スーパー」と呼んでいる農協の簡素な店舗と、地味なママが地味にやっている「スナック」という名のスナック。あとは郵便局に診療所。理髪店と美容院。

生活に足りないものは車を走らせて二十キロ先の隣町まで買いに行く。街灯のまばらな農道をしばらく走ると、遠くにうっすらとパチンコ店の青いネオンが見える。そこに着くころには視界も晴れる。どこかに霧との境界線があるらしい。

二杯目のビールを注文しようとしたとき、美沙が急いで店に入ってくるのが見えた。美沙はウーロン茶を頼み「まずはお疲れ」とグラスを鳴らす。

「いま成績表で忙しい時期だった？」

「それは先週のうちに終わらせた。でも学期末はやることが山積みでバタバタするね」

「あのさ、人との約束に遅れるならちゃんと連絡入れたほうがいいよ」

「そうだね、ごめんね。つい仕事に夢中になってた」

こういうところ、昔とぜんぜん変わってない。笹島は思い出した。『『スナック』』でもいいかなと思ったけど、独身の女の先生が既婚者とふたりで飲んで噂になったらまずいだろ」

「え？　ただの同級生なのに。でも、そんなことまで気にかけてくれるんだ。すごいね」

あんたが気にしなさすぎなんだよ、と笹島は思う。

美沙の無頓着さは今に始まったことではない。

僕らの学年は同級生が五人だけだった。男子が四人、女子は美沙ひとり。保育所に入ったときから中学を卒業するまでずっとそう。

漫画やドラマなら淡い恋心が芽生えたり、それが原因で仲間の関係がぎくしゃくしたりするのかもしれないけれど、五人のあいだにそんな甘いエピソードはない。

男子四人は美沙のことを異性として意識することもなければ、女の子だから大事にしなきゃという空気にもならなかった。

彼女は男子と同じ理髪店で、月に一度、猿のボスみたいに髪を短く刈っていた。五人の中でずば抜けて足が速く、地方大会でも常に上位入賞だった。野生の猿に負けない容姿と運動神経だったけれど、「猿」とからかわれることはなかった。なぜなら、僕らの中で勉強もいちばんできたから。

女だけど女と思えない。男に見えるけど男でもない。

美沙は美沙という人でしかなかった。

桃子さんのいる夏

こだま

だから、「これ、うちのお母さんから」と美沙が困った顔で僕らにチョコをくれる二月十四日は、毎年ちょっと複雑な気分になった。はじめは照れ隠しで言っているんだとばかり思っていたけれど、本当にその言葉のままだった。「あんたはクラスでたったひとりの女の子なんだから」と母親が気を利かせて用意していたらしい。翌月、今度は僕らが「お返し」をあげる。美沙は律義にそれらを母親に渡していたようだ。

美沙をすり抜けて、こちら側とむこう側に分かれる、あの儀式。

五人は五人のちょうどいい関係が保たれているのに、世間のものさしに戻されてしまう。好きだけど恋愛感情の発生しない異性。それは、かなり特別な存在ではないだろうか。大人になった今は特にそう思う。男女のあいだに友情は成立するかと問われたら、笹島は躊躇なくイエスと答える。

両手で枝豆を持って次々と頬張る美沙をそっと盗み見る。ひまわりの種を無心で頬袋に詰めるシマリスみたいだ。化粧もせず、額と鼻の頭をてかてかに光らせている。昔と違うのは、後ろでひとつに結んだ長い髪。でも、これは単に美容院へ行く時間がないだけかもしれない。白い半袖のポロシャツから伸びる引き締まった腕。ジャージのズボンの裾には校庭の土埃。同じく汚れたスニーカー。いくら幼なじみでも気を抜きすぎじゃないか。

思わず「そんなんだから」と言いそうになるが、ビールとともに、ぐいと飲み込む。

美沙の引っ越しを手伝いに行った日、笹島は要らぬ一言を発してしまった。

「おまえツイてるぞ。あそこは独身の男の先生がふたりもいる。二十代と三十代。これが最後のチャンスになるかもな」

冗談を交えて返してくれると思ったのに、美沙は歪むような困ったような、なんとも言えない表情を見せた。

久しぶりに会って、いきなり距離を詰めすぎたか。一瞬の気まずさを打ち消すように、美沙の母親が「うちはとっくに諦めてるからいいのよ」と豪快に笑った。

同級生のうち、村に残ったのは笹島ひとり。美沙は近隣の小学校で働き、ほかの三人は東京で所帯を持ち、すっかりむこうの土地の人になった。だから、美沙がこの村に戻ってくると知り、笹島は心待ちにしていたのだ。


笹島が三杯目のビールを頼んだ。幼なじみといっても近くに住んでいないとじっくり話す機会はない。数年前の年末に会ったときよりも見た目はずいぶん丸くなり、「人の好いお父さん」という感じが前面に出ている。

ところで頼み事なんだけどさ、と笹島が姿勢を正して切り出した「相談」は意外なものだった。美沙の家の隣の空き家にもうすぐ夫婦が入居するという。真夏でも三十度に達しない涼しい気候を謳い文句に、役場が数軒の空き家を紹介して短期の移住体験者を募っていたのだ。

「今年初めて問い合わせがあってさ。この前、東京から夫婦が下見に来たんだよ」

「それで、私に何を?」

「そこの奥さん、英会話教室の講師なんだ。できれば夏休みの子供たちに、一日だけでも特別教室を開いて教えてもらえないかなって考えてるんだ。避暑だけじゃなく、地域の人と関わり合えたらいいんじゃないかって。でも奥さんに断られたんだよね」

「どうして?」

「上司が先走ってあれこれ注文つけたのが気に障ったのかもね。そういった活動はできませんって、ぴしゃりと言われたよ」

「本人が嫌なら仕方ないじゃないの」

いや、そうなんだけど、と笹島は引かない。「第一号」だから、村の人たちと交流したという実績を残したいのだろう。あわよくばローカルニュースにも取り上げてもらって。相手にはその考えが透けて見えたのかもしれない。

「家が隣で、教育者という同じ立場、しかも女同士。美沙の頼みなら聞いてくれるんじゃないかな」

「気が進まないなあ」と言いながらも、ひとまず胸を撫でおろした。てっきりお見合い相手を見繕われるんじゃないかと思っていた。どうやって断ろう。ついそんなことを考えてしまい、笹島と会うのを先延ばしにしていたのだ。

三十代も半ばを迎えたあたりから「で、この先どうするの?」と聞かれることが増えた。あの「で、」って何なのだろう。そこまでの話の流れを、これまで仕事に打ち込んできた日々を、軽々と飛び越えて、隙あらば誘導しようとする「で、」。

前の学校で一緒だった年配の女性教師は「職場結婚する教師は多いよ。そもそも教室と職員室だけで一日が終わるんだから出会いの場なんてないものね」と諭し、「よさげな独身教師」を薦めてきた。保護者、地域の人、果てにはクラスの子供までもが「うちの隣のおじさん、彼女募集中だよ」などと言う。おそろしいのは、みんなわりと本気だということ。

私そんなにかわいそうに見えますか。楽しく働いているだけではだめですか。

美沙にはわからない。ずっとわからない。「で、」と区切ることなく、これまでの暮らしをこれからも積み重ねていきたいだけだ。

以前、「働く女性」というテーマで地方新聞の取材を受けた。美沙のほかに五人の女性が声を掛けられ、仕事や結婚観について思いを述べ合う座談会だった。

進行する若い女性記者が「男性の力を借りずに生きるってかっこいいです」と言ったけれど、美沙はその言葉にまったく同意できなかった。手を貸してくれる同僚の男性はたくさんいるし、そもそも男とか女とかで分けて考えたことはない。

ただ働きたいから働いているだけ。男性と張り合うためでも、女性の自由な生き方を伝えるためでもない。それなのに、どうしてまわりは自分たちのつくった物語に当てはめようとするのだろう。というか、外で働いて、家の中のこともやりつつ子供を育てるって、私には神業としか思えないですよ。だって結婚や子育ては、自分の生活だけじゃなく、家族のことを常に気にかけて生きるということでしょう。めちゃくちゃすごいことですよ。私は仕事を終えて帰宅したらすぐ横になりたいです。自分のことだけで手一杯です。以上。

そう熱弁をふるった。

私は不器用だからひとつのことにしか力を注げない。小中学生のときは短距離走で◯・◯一秒でも速い記録を出すこと、高校と大学では勉強、そして、いまは教師の仕事。ただそれだけだ。

率直な気持ちをたくさん述べたにもかかわらず、その記事に美沙の発言は掲載されなかった。写真にも姿が見当たらない。最初からいないものとして構成されている。そんなにおかしなことを言っただろうか。美沙はますますわからなくなった。

家まで送るよ、と笹島を助手席に乗せた。

「さっきの隣人の話だけど、派手で気の強そうなおばさんとその後ろを黙って付いて歩く気弱なおじさんだったよ。この辺にはいないタイプの人たちだったな」

そう言うと、彼は目を閉じ、座席に身体を深く沈めた。

五年生に笹島の娘、みどりがいる。彼女は休み時間になると美沙が受け持つ一年生の教室にやって来て「お父さん、先生のこと毎日聞いてくるんだよ。心配なんだって」と面倒くささそうに教えてくれる。

「もう大人なんだからさ、大丈夫に決まってんじゃんね」

そう頬を膨らませるけれど、人の好さを隠し切れないところは父親そっくりだ。

「元気にしてるよって伝えておいて」

「やだー」笑いながら教室を出ていく。だけど、次の日もやっぱり「お父さんがさ」と愚痴をこぼしに来る。あなたたち、そういうところもよく似ているよ。その場にいない笹島を介して、私たちはつながりを深めている。こんな話を彼が聞いたら、この上なく喜ぶだろう。みどりにはこっぴどく怒られるから内緒にしておくけれど。

村に近づくにつれて、少しずつ霧が濃くなる。「スナック」の看板が、今夜はひときわ儚い光を滲ませている。

「ほら、着いたよ」と美沙は笹島の肩を揺すった。

八月に入って最初の土曜日、開け放った窓の外から賑やかな声が聞こえてきた。

「お隣さん、来たみたいよ」

父と母が台所の小窓から息をひそめて覗いている。

空き家といっても築五年ほどの新しい平屋で、ちょっとした畑もついている。

元々あの家には近隣の市から越してきた高木さんという仲の良い高齢の夫婦が二年間だけ住んでいた。妻が病気で亡くなったあと、夫も続いて体調を崩し、いまは家を手放して娘夫婦の家に身を寄せている。

新居にその老夫婦が入居した日も、やはり父と母は同じようにその小窓から様子を窺っていた。お隣のふたりはよく縁側に並んで座っていた。夏になると大きく実ったトマトや茄子をおすそ分けしてくれた。昔話に出てくるような、のんびりとしたおじいさんとおばあさん。年老いてもなお、仲睦まじく寄り添い合っていた。

「あそこはふたりともこの辺の人じゃないから、考え方が気取ってるんだべ」と父が突き放すように言い、母も鼻で笑っていたけれど、美沙は好きだった。ずっと見ていたかった。

その家に、きょうから一ヶ月だけ東京の夫婦が暮らす。

母が「お隣に持って行ってあげなさい」と畑で採れたばかりのいびつな形のトマトとずんぐりとしたきゅうりを竹籠に入れて美沙に託した。さらに、筑前煮や漬け物までタッパーに詰めようとしている。

「こういうのは相手の反応を見て、少しずつ歩み寄ったほうがいいんじゃない」

そう美沙は諌め、野菜の竹籠だけを手にした。

ここの人たちは何かと世話を焼きたがる。適度に放っておいてくれない。それは田舎のよさでもあるけれど、ときに居心地の悪さに転じることもある。


織田桃子、五十八歳。都内で英会話教室を経営。織田一樹、五十六歳。同教室の事務。笹島から聞いていたプロフィールはそれだけだった。

「んまあ、元気のいいお野菜だこと」

桃子さんは挨拶もそこそこに大きな目を見開いて喜んだ。

彼女には最初から壁というものがなかった。

立ち居振舞いが舞台の台詞のように大袈裟で、芝居がかって見えたけれど、すぐに「これが素の状態らしい」と理解した。

栗色の巻き髪。真っ赤な口紅。水色のアイシャドーを厚く塗った瞼がまばたきするたびに発光する。顔面からの圧力のみならず、衣装も眩しい。王女のようにふんだんなレースのフリルをあしらった白いブラウス。ピンクのロングスカート。土と草木の色しかないこの村に色彩をもたらしに来たような女性だ。村のおばあちゃんたちはびっくりするだろう。

「ねえねえ、家の前の畑が大変なことになってるんだけど、あのお野菜も自由に採っていいの？　役場の方がそうおっしゃったんだけど」

「はい、畑つきの一軒家ですから」

「ちょっと、かずちゃん。早く来て。お隣さんがすごいものを」

そう叫んで、奥の部屋から夫の一樹を連れてきた。チェックのシャツにチノパン。桃子さんの隣で静かに微笑みながら頷いている。

「私と違って口数は少ないけれど、何でもできちゃう優しい人です」

せっかく一樹さんを呼んできたのに挨拶をする隙も与えないほど桃子さんが前のめりで話す。玄関先で一樹さんが発したのは「どうも」の一言だけだった。あまりにも対照的な夫婦である。

桃子さんに急《せ》かされるまま、家の脇にある畑を案内した。「んまあ」の声に振り向くと、彼女の視線の先には、やわらかな西日を受けて金色に輝くトウモロコシの穂があった。

ここは管理という名目で母親が自由に使わせてもらっていた畑だ。さやえんどうは支柱につるを巻き付けて人の背丈ほどに伸び、たくさんの実をぶら下げている。美沙は目の前のものをひとつ摘んで「これはもう食べどきですね。やわらかいうちに収穫したほうがいいです」と教えた。一樹さんはボウルを片手に、弓なりに育った不恰好なもの、巨大なものを「ふふ」と笑いながら摘み、「卵とじにしようかな」と、ひとり呟いた。

「これは人参。大きさの当たり外れはあるけれど味は濃いですよ」

桃子さんが畑に不似合いな長いスカートをたくし上げ、エイヤと引き抜いた。葉の広がりに比べて根はごぼうのように細い。「外れちゃった」と無邪気に笑う。一樹さんは一発で大ぶりな人参を引き当て、「ふふ」と余裕の笑みを見せた。

あとはトマトでしょ、それからアスパラもあります。トウモロコシは残念ながらまだ食べられません。桃子さんが地面からすっくと伸びるアスパラを不思議そうに眺めている。その横で、一樹さんがナイフを使って黙々とアスパラ数本とトマトを収穫する。そっと彼の表情を窺うと、やはり「ふふ」と口角が上がっていた。口数は少ないけれど、本人なりにかなり楽しんでいるらしい。

帰り際「よかったら明日のお昼、何かごちそうするのでいらしてください」と桃子さんが誘ってくれた。「といっても、作るのは僕です」一樹さんがすかさず口を挟む。賑やかな桃子さんについ目がいくけれど、一樹さんにも独特の雰囲気がある。

なんだ、楽しい夫婦じゃん。

そんなことを考えていたせいか、笹島の頼み事を思い出したのは帰宅してからだった。

翌日の日曜は、お惣菜も持って訪ねた。

エプロン姿の一樹さんがトマトとアスパラをふんだんに載せた夏野菜のピザを焼いていた。「生地も手作りなんですよ。なんでもできちゃう人なの」と桃子さんが屈託なく自慢する。

「あの、ピザには合わない田舎の料理で恥ずかしいんですけど」

美沙は金時豆の甘煮と、かぶの糠漬けを差し出した。

「これ美沙さんが作ったの？」

「いいえ、母です。私はこの歳になっても卵焼きすら満足に作れませんから」

「それ私と一緒」

桃子さんは笑い、そのあと少し神妙な顔をした。

「でも、お母さんがせっかく作ってくれたものを恥ずかしいなんて言っちゃ駄目よ。たとえ謙遜だとしても。美味しいものには美味しいと言っておきましょう」

「そうそう」と一樹さんも大きく頷き、母の手料理を絶賛した。

謙遜すること。自分や家族が褒められたのに「そんなことないです」と返すこと。それは美沙にとって、もはや身体に染み付いた自然な反応だった。おかしいと疑ったこともなかった。そうか、そうですね。

「桃子さんってどんな先生なんですか」

「生徒の前でもこのまんまですよ」

一樹さんは言う。うちは小中学生の生徒が多くて、中には不登校で学校には行けないけれど、妻のことが好きで授業を受けに来る子もいるんです。こんなこと学校の先生の前で話すのは申し訳ないんですけれど。「んまあ、あなた学校は休んでいるのに、ここには来るの？　すごいじゃない」って、注意するのかと思って聞いていたら、褒めまくっていたんですよね。中学時代はフリースクールだったけれど、無事に高校へは通って、そのあとうちのスタッフになった子もいます。勉強だけじゃなく、その子の「居場所」になっているなら、それでいいじゃない、というのが妻の方針ですね。

「私、ファンが多いの」と彼女は笑う。

一樹さんは桃子さんのことになると、やけに饒舌だった。

桃子さんのいる夏

こだま

この夫婦と関わった生徒は幸せだろう。

書類整理をするという一樹さんを部屋に残し、桃子さんとふたりで畑に出た。

「桃子さんは桃色がお好きなんですか」

きょうは淡い桃色のブラウスだ。

「そうなの。うちの家系は子供に草花や木の名前が入るのよ」

さくら、うめ、かすみ、あやめ、って。

「そういえば一樹さんも樹ですね。運命の出会いみたい」

「あはは、そりゃそうよ。だって私と一樹さんはいとこ同士だもん」

あまりにもあっけらかんとした口調だったので聞き流しそうになった。

「え？　家族に反対されませんでした？」

小さいころから「かずちゃんと結婚する」「ももちゃんと結婚する」とお互いに言っていて、それは小学生になっても、中学生、高校生になっても変わらなかった。大学生になってもやっぱり変わらない。それが私たちにとって自然な形だったから。私の留学先のカナダに一樹さんも来て「結婚を許してくれないなら、私たちもう日本に帰りません」ってふたりとも親に宣言したの。ははは。

でもね、いいところもあって。当たり前だけど、親同士もおじいちゃんおばあちゃんたちも親族だから、披露宴に来てくれた人みんながお互いを知っているの。「新婦の桃子さんは」なんて司会の改まった紹介もいらない。あれは親戚一同のお食事会みたいでおもしろかったなあ。桃子さんはまるで他人事のように笑っている。

昔から泊まりに行っていた家が私のもうひとつの実家になって、よく知っている人がお義父《とう》さんとお義母《かあ》さんになっただけ。結婚してもほとんど人間関係が変わらない。親戚も増えない。びっくりするほど、これまで通りの生活が送れている。

「私たちは子供を持てなかったけれど、そのぶん生徒を我が子だと思って大事に育てようって約束していたの」

どうして、この人は次から次へ重大なことをさらっと話すのだろう。

「まだたった二日ですけど、桃子さんと一樹さんを見ていたら、結婚っていいものなのかもしれないと思いました」

私、子供のころからずっと恋愛がよくわかりません。素敵だなと思う男性がいても、素敵だなと思うだけです。その先に考えが向かない。決して何かを我慢していたり、諦めたりしているわけではないんです。さっき桃子さんは一樹さんと一緒にいることを「自然な形」とおっしゃったけれど、私には異性にも同性にも特別な感情が湧かないことが「自然な形」。でも、なかなかわかってもらえない。そんな人間は存在しないかのように扱われ、心配されます。私に悩みがあるとしたら、その人たちの声です。私はいつも私の思う「ふつう」を生きているだけなのに。

桃子さんには話せた。話したいと思った。あの座談会のときのように、何度となく「なかった」ことにされてきた自分の気持ち。違和感。

「結婚なんて、してもしなくてもいいのにね。独身だとか、結婚しているのに子供がいないとか、ただそれだけで哀れむ目で見てくる人には心底うんざり。たぶんあなたよりも楽しく生きているからご心配なく、って私なら言い返すかな。美沙さん、教師の仕事は好き？」

「毎日大変ですけど、好きです」

実は、数年後に教頭試験を受けようと思っていたんです。私は仕事をしていたいだけ。放っておいて、という意思をまわりに見せたくて。でも、それは人にどう見られるかを気にしているってことですよね。きっと今みたいに「仕事が好き」と即答できなくなる。

「このままでいいじゃないの。これまで通り自分のために時間を使って。私もそうする」

茨の道を茨とも思わず走り抜けてきた桃子さんの、励ますような、それでいて自分に言い聞かせているような、静かな決意表明だった。


ねえねえ、ちょっと見て。不意に呼ばれて振り向くと、桃子さんが淡い桃色のブラウスの下から、にゅるんと肌色の物体をふたつ取り出した。

「ふふ、びっくりした？　肌に密着する人工の乳房。がんで両方を摘出したあとオーダーメイドで作ったの」

呆然とする私の目の前で、それをてのひらに載せてぷるぷると揺らす。

「揺れるでしょ」

「ええ、揺れてますね」

お皿の上のゼリーみたいだ。

「能天気なおばさんだと思われているかもしれないけど、見えないところに悩みはあるのよね」

そう言いながら「あらよっと」と特注乳房を片方ずつ、平らな部分に還していった。乳がんを患ってから体力が持たず、最近はスタッフに授業を任せ、桃子さんは生徒の「おしゃべり相手」に徹しているという。

「事情も知らず、役場の人が無理なお願いをしてすみませんでした」

「いいの。むこうでは生徒に同情されて大変だったから。こっちでは病人でも先生でもなく、ただの移住体験の夫婦として静かに暮らしたかったの」

派手で気の強そうなおばさん。笹島の言葉を思い出す。繊細な薄皮を何枚もまとって生きているというのに。

最初の一週間こそ村の人からの好奇の目にさらされた夫婦だったが、あるとき村唯一の「スーパー」で買い物する彼らにばったり会ったときには、おばあちゃんたちに囲まれていた。桃子さんが輪の中から私を見つけて手を振る。

「お裁縫の得意なかたがいらして、今度私に花柄のスカートを縫ってくださるんですって。昨日は煮物をいただいたのよ」

ここでもファンが多い。笹島、この夫婦にはお膳立てなんていらなかったよ。

ふたりの滞在も残り一週間となった夜、笹島からメールが届いた。

「きょう織田さん夫婦が役場に来て、来年の予約をしていったよ。次は七月から来るってさ」

桃子さんのいる夏

こだま

桃子さん、そういう大事なこと私にも教えてよ。
台所の小窓を覗くと、縁側で花火をするふたりが見えた。

未来は長く続く

キム・ソンジュン

斎藤真理子＝訳

地球人ジョン・ヴァードンにすべて打ち明けようと決心はしたものの、どの時点から話しはじめたらいいのかわからないまま、私はひたすら泳ぎつづけていた。だから、思いつくまま広がったり伸びたりするこのお話は、つじつまが合ってないと思う。五つの地域言語を身につけた私のことだから、語彙が足りないとか、文章を作れないとかいうわけではない。ただ、押し寄せてくる感情に合ったドアが見つからないので、唇を開けることができないのだ。私は、句読点の入った文章で切り出した。

最初にママの死があり、その次に私の誕生があった。

その前には宇宙人の攻撃があり、それの前には井戸ができた。

そのまた前には、クッキーみたいに焼けた星たちが、黄色い太陽を追っかけてゆっくり回っていた。こんなふうに話していったら、どのお話も、クッキーみたいにかりかりに焼けて割れてしまったお星様の話みたいに終わるしかないだろう。でも、そのお話の中には私がいない。私にできるお話は、私が出てくるお話だけだ。

私は迷っていた。外からは根気強く、誰かが声をかけつづけていた。彼らは小さな、でも焦りの感じられる声で私に催促していた。

未来は長く続く

キム・ソンジュン

「赤ちゃんや、私の声、聞こえるかい？」

もちろんだ。前から聞いてきたんだもの。ママが教えてくれたし、おなかの中でもさんざん聞いてきたから、おばちゃんたち――シベリアンハスキーと探査ロボットだ――の声を聞き分けることはできた。

私は子宮の中にいる。狭いけど、体を丸めているからこれで十分だし、このぐらいならいいなと私が思っていた通りの暗さだった。三百年以上ママと私の二人きりだったけど、それなりに楽しく暮らしていた。ママが私を身ごもったまま宇宙を横切っている間、私は死なない程度の栄養を摂取し、他のものも摂取していた。ママが私に会えずに死んでしまったことは残念だ。私がどんなに賢いか見せてあげたかったのにな。

私が胎内にいるときから文章で考えることができたのは、DNA配列のおかげだけではない。むしろ、冷凍されたまま宇宙を横切ってきた時間が染み通って影響を及ぼしたとみる方がいいだろう。目も鼻も口もないかたまりだったときから、ヘアピンみたいに細い触手と豆粒より小さな脳を持っていたころから、私は私の知性が凍っていないことに気づいていた。私の思考は霧のように淡くて形がなかったが、それでも予感という形で存在していた。だからこんな瞬間が来るとは思っていたのだ。

「お願いだから、ちょっと出てきてごらん」

用心深くノックするように、ライカは前足でおなかをトントンたたいた。

「力を入れて産道を探してごらん。私がこっち向きに押してみるから」

ダイモスの演算に「優しさ」という項目が追加されたのだろう。彼があったかみのある機械音で私のやるべきことを指示する。

だけど、ママが死んだのに生まれなきゃいけないのかな？　このまま羊水の中で溺れ死ぬのが最良の選択じゃないだろうか？　私の体は今このときにも、ママの栄養を吸収している。心臓が止まった後も止まらないへその緒の振動。だけど、やがて沈黙がやってくるだろう。私まで沈黙したら、子宮の中は居心地のいいお棺に変わるだろう。ショーペンハウアーを読む前から、私は厭世主義者だったのだ。死んだママの子宮の中で丸まっていた何分間かが私をそうさせた。だけどショーペンハウアーは自殺しなかったし、私もそうだろう。それでもまずは不平を言ってみた。マイクがないと言ってステージで騒ぐ人みたいに。

「そこには、空がないでしょ」

「あるよ。地球みたいに青くはないけど、杏色の空があるんだよ」

「ろくな食べものもないし、水もないでしょ」

「心配しないで。食べものは十分あるし、私たちはねえ、井戸も持ってるんだぞぉ」

ライカは財産を自慢する百万長者みたいな言い方で教えてくれた。オーケイ、水があるなら話は別だ。だけど、

「そこにはママがいないでしょ」

「それはそうだよ、でも……」

ダイモスが仕方なく認める。私が哀れな宇宙孤児の身の上だということをだ。

「ったくもう、余計な口数が多いねえ。べらべらしゃべってないでさっさと出てきな！」

ライカががまんできずにワンワン吠えたので会話は中断された。びっくりした私が体をぐーっと伸ばすと、その勢いで門が開いた。続いて、めちゃくちゃに押しよせてくる圧力のために体をねじったら、それでおしまいだった。やめておこうかと思っていたのに。

最初の一歩は爆発的。その次はダイモスの腕につかまえられて、ロケットに搭載された貨物みたいに、体の残りの部分もずるずると押し出された。ちぇっ。お芝居の舞台で赤ん坊という役を割り当てられた人みたいに私は世の中に登場する。ひとりでに泣けてきた。貧相で未熟な、普通の新生児みたいに。

「よかった、ほんとにがんばったね！」

ライカは夢中でしっぽを激しく振り、短い舌で私をなめた。やっとのことで目を開けると、黒い毛におおわれたライカの目と目が合った。続いてダイモスの金属の腕がへその緒を切り、ナプキンみたいな白い布で私の体をぐるぐる巻きにした。寒い。火星は寒いということは何度も聞いていたが、こんなに殺伐とした寒さだとは思わなかった。ちょっと前まで死に方を考えていた私が、こんどは凍え死ぬかもと心配している。気づいたら、たらいのお湯の中に入っていた。ちょうどいいあったかさで、羊水の中にちょっと戻ったかと勘違いしたほどだ。

「あんたたちのことでいちばんうらやましいのが何だかわかる？」

私の体を洗ってくれるとき、ダイモスが声をかけてきた。私は最初からうまく話せたし、ロボットはそんな私にちゃんと対応してくれた。だんだんわかってきたことだけど、ダイモスは私を子ども扱いしないからいい。逆にライカのいいところは、すっかり大きくなってからもまだ私を小さな子どものように世話してくれる点だ。両方とも、肌は気に入ってない。一方は毛深すぎるし、もう一方は冷たい金属だから。

「全能のロボットさまが、私みたいな赤ん坊の何がうらやましいっていうの」

できるだけ皮肉っぽく答えた。どんなに生意気なことを言っても、ダイモスは大声を出したり、怒ったりすることはない。一方、ライカは怖い。失礼なことをしたら、がぶっと噛みつきそうな勢いで唸るから。ふざけて遊びたいならダイモスだということは、初日からわかった。

「ここ」

ダイモスは、へその緒が取れた私の体の真ん中をそっと押した。

「おへそ?」

「そう、おへそ。ママとつながっていた証拠。まるで句読点みたいだね」

「そっちにもケーブルのコンセントがあるでしょ」

「それはへその緒とは違うよ。さ、これをあげよう」

「これなあに?」

「石の子。あんたが生まれた日に、一緒に生まれた石だ。空から落ちてきたんだよ」

石の子は私の妹みたいなものだから、今も首飾りにしてかけているけど、話はできない。私には犬とロボットしかいなかった。

私はすくすくと大きくなった。兵士の恰好をしてゼウスの頭から生まれたアテネみたいに、生まれたときから声を出して意思表示し、一か月で直立歩行した。私は人並みはずれて発育の速い子どもだったし、教わったことはよく覚える生徒だった。

「火星の人口を増やすために遺伝子操作されたんだな」

ライカは私の成長速度に半ばは感嘆し、半ばはねたむような口ぶりでこう言った。言うことをきかないおてんばなうえ、顔も不細工だけど、匂いだけはなかなかだねと言っていた。ライカは何でも私に与えようとした。自分の宝物である、四匹のペットのノミまで。

私は断った。

火星での幼年時代は短かった。マヤ——これが私の名前だ——は一歳のときから植物を世話し、「原始スープ」［四十億年前の地球において、海は有機物の溶け込んだ濃厚なスープのようなものであり、ある時点でそれが混ざり合うことで生命が発生したという考えで、旧ソ連の生化学者オパーリンが主張した］の水を替えてやり、ホームスクールで水泳も覚えなくてはならなかった。中でもいちばん楽しいのは、化石発掘旅行だ。私たちはときどきキャンプに出かけた。ダイモスが地図に表示してくれた地点まで移動して、何日か泊まって土を掘り返すのだ。何のためにこんなことをやるのかわからなかったが、骨だらけの荒れ地をさまよってみると、ここはほんとに火星だろうかと思うほどだった。そういえば水も出るので、ママが知っていた星でないことは確かだ。

ダイモスは私に、化石の探し方を教えてくれた。

「一度化石を見つけられるようになったら、自転車に乗れる人みたいに、永遠に忘れないはずだよ」

わかりづらい比喩だ。自転車に乗ったことはないが、釣りならやったことがある。井戸でオイカワをつかまえるぐらいのレベルだけど、化石を探すのは釣りと似ている。

五回めの旅行で私は大物を見つけた。上の空で土を掘り返していて、普通じゃない石を発見したのだ。逆さまに突き刺さっていたこの岩石は、一度も見たことのない色と触感を持っていた。ダイモスに見せると、レーザーでも放つみたいに目がきらりと光った。帰るとすぐに実験室に閉じこもったダイモスは、十日後、おごそかに宣言した。

「これは、進化の秘密が詰まったカタログだよ」

彼は六十センチぐらいの岩石を指してそう言った。表面が埃一つなく手入れされていた。

「私たちには井戸があるから、ダーウィン式のスタートが切れるよ。うまくいったら創造主になれるかもしれないな。マヤはすごいものを見つけたね」

「偉そうなこと言ってないで、わかりやすく説明してくれる？」

ライカが憎まれ口をたたくと、ダイモスは科学的な説明を添えて自分の計画を話してくれた。

「岩石から微生物が検出されたんだよ。さらに重要なのは、標本になるような化石がケーキみたいに何層にも重なって入っていることだ。これを水につけたら、何か出てくると思う。水にティーバッグを入れてお茶を出すみたいにこの石を水に入れて加工してやれば、もっとたくさんの微生物が出てくるだろう。この石は惑星間旅行の間も微生物が生き残れるように処理されているみたいに見える。親切に、使い方まで添えてね」

「それで何をやるっていうの？」

「化学物質カクテルに微生物を加えて培養するんだ。材料を集めて加熱して乾燥させるか、冷凍してみれば、無生物が生物に変わるだろう。この標本を参照して、こんなふうに……」

「うまくいかないと思うけど」

ライカが生意気そうな反応を見せたが、ダイモスはしゃもじで鍋をかき混ぜるような真似をやめなかった。

「私たちには『瓶の中の手紙』があるじゃないか」

ダイモスが創造主ごっこにすっかり夢中になったのは、私が生まれたときに発見した胎盤カプセルのためだった。

ママの死体を処理する過程で、ダイモスは二つの驚くべき作業をやってのけた。一つはママの人格をバックアップしたことで、もう一つは胎盤から出てきたカプセル（これを「瓶の中の手紙」と呼んでいた）を分析したことだ。カプセルの中から菌糸と種子、魚の卵を見つけ出したダイモスは、慎重に実験を進めてきた。魚たちを孵化させて井戸に放し、菌糸から出てきたきのこを後生大事に育てていた。種子が入った二十個のプランターのうち、緑の葉をつけて育ったのはわずか二個だったが、ダイモスはこれで果樹園を作ってみせるという抱負も持っていた。だが、今や果樹園とは比較にもならないほど遠大な計画を立てているのだ。

ライカは原始スープ云々というダイモスの計画を荒唐無稽だと思っていたが（「錬金術師みたいなわけのわかんないこと言って、科学者があれでいいのかねえ？」）、宇宙船内に水槽を設置することには反対しなかった。そこでノミ一匹育てられないとしても、私のおもちゃにはなると思ったらしい。

「見ててごらん、私が立派な生態系を作っちゃうから」

ダイモスが実験室に閉じこもると、私の教育はライカの担当になった。年老いたシベリアンハスキーは主に昔話を聞かせてくれた。そして、私があくびをすると、遊びだか授業だかはっきりしない「匂いの勉強」を開始した。

ライカがくわえてきた「匂いキット」は、魔法の箱みたいだった。画面に合わせてふたを一つずつ開けると、生まれて初めて嗅ぐ匂いが漂ってきた。ポップコーンの画面が出てくるとバターのかかったポップコーンの匂いがし、いちごの画面が出てくると甘酸っぱいワイルドストロベリーの匂いがするという具合だ。胡椒の香りを学んだ日にはくしゃみが出て涙まで流したが、どうしてこの授業を好きにならずにいられるだろう？　ピーナッツとごまの香ばしさを嗅ぎ分け、エキゾチックな蘭の香りを種類別に嗅ぎ当て、バルサミコ酢の匂いを嗅げばひとりでに唾がたまることも覚えられるのだから。犬から嗅覚の授業を受けるのは、ロボットに綴字法を習うより百倍は難しかったが、それでも楽しかった。ふたを全部開けて混ざった匂いを嗅いだ瞬間は、オーケストラの勇壮なシンフォニーを聴くようだった。私があんまりうっとりしていると、ライカが大砲の音のようにおならをプププッと放ってムードをぶち壊しにした。

「私が何を食べたか当ててみる？」

「うえーっ、あんまりじゃない？　ひどすぎ！」

「ごめん。それじゃ目をつぶってごらん」

手であたりを払ってしかめっ面をすると、ライカは何も画面のついてない小さな瓶を一つ開けた。怪しいと思ったが、言われた通りに目をつぶり、鼻をクンクンさせた。奇妙に

未来は長く続く

キム・ソンジュン

甘い、ママの肌の匂いみたいな香りが広がった。

「あんたから出てきた匂いだよ。サンプルもあんたからもらったの」

ライカはにやりと笑ってウィンクをした。

「生まれたばかりの赤ん坊の延髄から出ていた匂い。命の匂いだね。私がもしも神さまになって、世の中でいちばん香り高い花を創造するときには、この匂いを使うだろうな」

胸がじーんとした。世の中でいちばんいい匂いが私の小さいころの匂いだなんて。こんないいおばちゃんたちがいたから、私はこうして育ってこられたんだな。

匂いの授業をやる日には必ず、蜃気楼が現れた。現れたんじゃなくて、「見えた」と言うべきだろうけど、荒れ野の上に広がる風景があまりに生き生きしているので、匂いが呼び覚ます錯覚だとは認める気になれないほどだ。不思議なことに、私たちの中ではダイモスだけが蜃気楼を見ることができなかった。見たい風景を「内部から」呼んでこられるロボットだからだろうか？　そうだったらひどいな。蜃気楼を見ることは、火星で味わえる最大の幸運だから。

私は生まれてからずっとそうしてきたように、ライカの背中を枕にして横になった姿勢で荒れ野を見ていた。杉の木の匂いを嗅いだせいか、クリスマスツリーが現れた。きらきらの電球で飾られた三角錐の形の木のてっぺんには、金の星がついていた。私は焦りを感じ、一つでも多く見ようと目を大きく見開いた。

「あのきれいな布を巻いた陶磁器の人形は何なの、宇宙人なの？」

「東方の三博士。東の方で星を見て、追いかけてきた人たちさ」

「じゃあ、あのふかふかしたクッションに寝てる赤ちゃんは？　もしかして私？」

ライカは呆れたようににやりと笑い、幼な子イエスだと教えてくれた。イエスの話を聞いている間に、蜃気楼は砂絵のように散りはじめた。消えてほしくなくて手を伸ばしてみたが、無意味なことだ。ライカはしっぽを胴体にぴったりくっつけて、のんびりと言った。

「こんな日は『メリークリスマス』ってあいさつするんだよ」

「メリークリスマス、ライカ」

「メリークリスマス、マヤ」

ロケットを発射させる前に叫ぶカウントダウンの声みたいな呪文だ。

「火星は凍りついた砂漠、金星は燃えさかる地獄」

ずっと前、地球人たちはそう考えていたという。でも私が生きているこの土地は、そんなに寒くはない。こぢんまりした宇宙船と間欠泉が湧き出る井戸、何でも教えてくれるダイモスと、焚き火みたいにあったかいライカの背中があるから。


十一歳になるころ、私たちの財産はめざましく増えていた。

育ったのは私だけではなかった。間欠泉が湧きだす井戸はほどよい湖に変わり、そのまわりを膝までの丈の草が取り巻いていた。緑は偉大な色だ。火星の赤に張り合う草の葉の緑は、明らかな勝利の旗印だった。井戸は湖のように大きくなったが、私たちは習慣で、まだ「井戸」と呼んでいた。

私は井戸に入るのが嫌いだったが、それは、どんどん難しい技術を身につけなくてはならなかったからだ。

「十五分四・五秒」

水から出るとダイモスが記録を教えてくれる。私は息を荒くはずませ、持っていた石を投げ捨ててしまった。すぐに浮かんできてしまう私を見てダイモスは、もっと重い石を持っていきなさいと言うのだった。お皿の水に鼻をつっこんで溺れ死ねと言ってるように聞こえたけど、ダイモスは、湖の底にとどまってえらを開かなきゃだめだと主張しつづけた。

「もうやめてもいいでしょ？　十五分以上行ったの、初めてじゃん」

「一時間がんばれないと、だめだと思うよ」

ダイモスは常に、未来に備えなくてはいけないと言っていた。今まで地球で生きてきた種の九十九パーセントが滅亡したのだから、成長が止まる前に、陸と水の両方で生きていける方法を身につけなくてはならないというのだ。

「あんたにはえらと肺の両方があるってことを忘れちゃいけない。成長して、進化しなくちゃ。一方のドアを開けようとしているうちにもう一方のドアが完全に閉まっちゃったりしないように、両方から出入りする方法を覚えないと」

「私は生まれるのにも三百年かかったんだよ。なのに今さら、また違う体に変わる練習をしろっていうの？　私、十一歳だよ。まだ子どもなんだってば」

「私たちが守ってあげられなくなるときに備えて、自分で生き残る方法を身につけないとね。宇宙人が来たらラッキーさ、そんな高等生物なら、ここに飛んできてまで揉めごとを起こしたりしないだろうから。だけど、地球人が現れたら？」

一瞬、ママのお墓を思い出した。続いて、地球に連れていかれてずたずたに解剖される私の姿が頭をかすめた。ちょっと思い浮かべただけでも鳥肌が立った。

「水の中では、息をすること、食べて出すこと、移動すること、全部違ってくるんだ。睡眠や休息まで違う形態になるだろうね。新しい体で生きるための感覚を養わなくちゃ」

「私に、人魚姫になれっていうの？　人魚姫は結局、あぶくになっちゃうじゃないの」

「あんたは人魚じゃないもの。だけど私たちにとってはいつまでもお姫さまだよ。大事な私たちのお姫さま」

「ここには永遠に私たちしかいないのに。私はまあ、それで十分だけどね」

ライカにはこんな甘えも通じるのだが、ダイモスの顔からは表情が消えた。からっぽの電子レンジみたいな顔。こんなときにちょっかいを出してもむだだということは、経験からよくわかっている。案の定、速射砲みたいなおこごとを浴びせられた。

「あんたが賢いのはわかってる。だけどその賢さ、どういう種類の賢さだと思う？　知能が高くて習得が早いだけじゃ足りないんだ。生き残りたいなら、賢くなることより、体の感覚を養うことの方がずっと大事なんだよ」


でも、十一歳の私は潜水より駆けっこの方がずっと好きだった。

火星のすべての丘が私の遊び場だった。全速力で坂を駆けおりるのは何て楽しかったことか。体のすみずみまで伝わる活力、筋肉がぴんと張り詰める緊張感、全身に広がる心臓の鼓動を感じることができた。息が上がるまで走り、太陽光で熱くなった岩にもたれて休んでいると、私の前に広がる大地は不思議なほど広く、果てしなかった。

「私たちはみんな、星間物質で作られているんだよ」

いつだったか、ライカがそう言ったことがある。誰の言葉かと聞くと「カール」という返事が返ってきた。「どこのカール？」「セーガン。カール・セーガンのことだよ」。ライカには、有名人をよく知ってる友だちみたいに呼ぶ癖がある。私は水浴びをしようと湖に近づいていき、自分の顔を見た。「雑種」。どの映画だったか、地球人が宇宙人にこんなことを言う場面があった。その言葉にこめられた侮辱感は本当に強くて、辞書を見なくてもすぐにわかるほどだった。水かきのついた手足、背びれの突起が飛び出した背骨。地球人が私を見たら、間違いなく雑種と思うだろう。こんな体でなかったら、潜水訓練なんかしなくてもいいのに。

「原始スープだか何だか知らないけど、早く成功すればいいね。この子の食べっぷりを考えればね」

駆けっこを終えて、二人分の食事をたいらげた私を見ながらライカがこんなことを言った。「食事」は大人たちの頭痛の種だった。私が生まれて以来、食料のストックが減り出したから。太陽電池で充電するダイモスや、一度死んで幽霊になったライカにとっては無用の悩みだが、生物である私は違う。水に溶かしたビスケットを離乳食として食べて育った私は、歯が生えてからというもの、猛烈に乾燥食を食べまくっていた。私の寿命がいつごろまであるのかわからないが、一生ここで生きようとしたら、食料に余裕がないことは明らかだった。

たまに魚を食べる日もあるが、安心して食べるにはまだ魚の体も小さいし、個体数も少ない。とはいえ私たちの財産は増えつつあった。草むらで蜘蛛の巣を発見した瞬間は勝利の日だった。絹のようにきれいな蜘蛛の糸と、そこにぶらぶらぶら下がった昆虫何匹かを見たダイモスは、そろそろ両生類と爬虫類に挑戦すると宣言した。

「古生代を参考にして新しいレシピを作るんだ。その方が、遺伝子スイッチを入れるには有利だからね」

新しい生物種が発見されるたび、ダイモスは劇的な効果を出すためにごくんと唾を飲むような音を立てた。そのたびライカが「唾もなければのどもないくせに、変な効果を出そうとしないで」と嫌味を言うが、ダイモスはぱっと振り向き、見えないドアがバーンと閉まる音を出した。彼らは、こんなコントをやって調子を合わせることを楽しんでいた。自分たちのように頭のいい高等な存在がこんなに幼稚なギャグも駆使できるというのが、一種、気分のいいことに思えるらしい。私には全然おかしくなかった。

「みんな笑うけど、いつまでも笑っちゃいられないよ。実験に成功したら、マヤのママを復活させることもできるんだから」

「本当?」

「あんたが十分に待ってくれたら、不可能なこともないよ」

ダイモスは有限の生命体である私に対して、「死」という概念を絶対用いない。「十分に育ったら」「待ってくれたら」「過ごしていくうちに」、そんな言葉で私の時間を遠回しに表現する。

未来は長く続く

キム・ソンジュン

「パパのことは、全然未練がないの？」

ライカに聞かれたとき、私は即答を避けた。人間とよく似た実験動物を作って妊娠させたのは、地球の科学者たちだ。つまり、私の父親は地球そのものだ。当時の最も進歩した科学技術がママを妊娠させたのだから。私はただ体だけ、身体だけに関心があった。遺伝子を混合して作った精子のことなんか気にならない。

私が恋しいのはママの胸であって、遺伝子ではないんだから……宇宙船の中では、ママと私の二人きりだった。いつかママのバックアップ人格を入れた「入れ物」を作るとしたら、それをママとして受け入れることができるかな？　考えるだけでも涙が出てきそうだった。

「いつか、湖が海みたいに大きくなって、実験体が生態系を作るぐらいになって、その中からママの体を選べるなら、ザトウクジラがいいなあ。海でいちばん長くて複雑な歌を歌うっていうザトウクジラね。私は歌を歌ってくれるママが欲しいの」

「ああ、うちのお嬢ちゃんったら。子守歌が恋しいみたいだねえ。ライカおばちゃんが歌ってやろうか？　ハウリングの声だってすてきなんだよ。この子、思春期が来たのかな、なぜ泣くんだい？」

その通りだったようだ。私はすっかり大きくなったという気持ちと、まだまだだという気持ちの間でしくしく泣いた。急に力が湧いてくるような気がしたり、次の瞬間にはすっかり力が抜けてしまったり。ひたすら何かを切なく待っているような気持ち、何だかわからないのに胸がいっぱいになるこの気持ち。私は十代だった。地球の、分別のない十代の子たちと何も違わなかった。

キナは流れ星が落ちてくるように、私たちのところへやってきた。

私たちは「オペラ観覧席」と呼んでいる庭のベンチに座って、降り注ぐ流れ星を観賞しているところだった。ライカと私が肉眼で流れ星を数えている間、ダイモスは電波望遠鏡でずっと空を調べていた。干し草の山から針を探し出すより難しい仕事だが、ダイモスは探査ロボット時代の癖が捨てきれず、ときどき電波望遠鏡の前に座ったりするのだ。ダイモスの首はわずかに傾いているが、ライカは、地球の方ばっかり見上げているうちにそうなったんだろうとからかっていた。

「ほんとに、ムスリムそっくりなんだから。一日に三回メッカに向かって祈りを捧げる——」

ダイモスをからかうのが生きがいのライカがそのとき、急に話をぱっと打ち切って低く唸った。暗闇の中をにらみつけてワンワン吠えると、その声がサインにでもなったかのように、黒いものがばたんと倒れた。

私と同い年ぐらいの女の子。地球人としては変な身なりだ。地球人なら、液冷式の服に金魚鉢みたいな丸いヘルメットをかぶっているはずだが、この子は半分裸で、素肌のままだ。髪の毛は塩のような色で、瞳はざくろのように赤い。何より奇妙なのは、まぶたがないことだ。半透明の薄い膜のようなものがぱちぱちする間も、その中の赤い瞳がはっきり見えた。

「あんた、毎日電波望遠鏡を持って歩いてるのに、誰かが外からこの星に来てもわからなかったの？　そんなことに気づかないなんて、ある？」

私は何もかもダイモスのせいみたいな気がして、かっとして怒鳴った。哺乳類が蛇に反応するように、私には人間への恐怖心が刻み込まれているらしい。大声で叫び、怒る以外に、怖さを隠す方法がなかった。

「あんたが思ってるほど全能のロボットじゃないみたいだな。まずは、運ぼう」

「いかれちゃったの！　誰だかわかってて中に入れるの？　そんなことして攻撃されたら？」

「脈拍がすごく弱い。外で死なせるより、意識を回復させてやってから情報をもらう方がよくないかな？　それと、あんたは地球の空想科学映画を見すぎたみたいだね。あそこじゃ、火星人が地球を侵攻するんだよ」

でも、現実は逆だったりするじゃないの。

女の子は三日間意識を取り戻さなかった。まぶたのない目を見るのが気まずくて、私たちは眼帯をかけてやった。水で濡らしたガーゼを口にのせてやると少しずつ飲むところから見て、死んではいないらしい。

「いちばんの大事件が最悪の事件だってことも、ありうるね」

ライカはベッドのすぐ近くでため息をついた。

とうとう意識を回復した女の子は、唇を震わせて何か言いはじめた。あんまり小さな声だったので、ダイモスだけが聞き取ることができた。

「悪いニュースと良いニュースがある。悪いニュースは、この星にいるのはもう私たちだけじゃないってことで、良いニュースは、地球人たちの基地がここからすごく遠くにあるってことだ。ほとんど反対側と言ってもいいくらいに」

「でも、この子はここまで来られたじゃない。その人たちがここを発見したらどうするの？　井戸や植物のせいで、私たちがここにいるのがばれちゃうじゃないの。今、のんびりとこんなこと話してる場合じゃないでしょ？　対策を立てなきゃ！」

「大声出すのやめて。あんたを見てると、十代の子って宇宙人よりも宇宙人みたいだって気がする」

潜水の練習を一生けんめいやっておけばよかった。幽霊のライカとロボットのダイモスに比べたら、私の生存可能性がいちばん低いんだから。でも、だからといって水中が安全だろうか？　水深はかなり深くなってきたけど、湖が私の安全を保障してくれるはずがない。不意に間欠泉が湧き出してくる穴、その中に入ってみなくちゃと思った。今までは流れが激しいから近寄らなかったけど。

とりとめなく浮かぶ考えのせいで、私は室内をうろうろしていた。そしてふと頭を上げると、ライカとダイモスが心をこめて女の子を看護しているのが見えた。妙な気持ちだった。今まで一人娘として生きてきて、突然妹ができたような気持ちというか。

「名前は『キナ』だって」

私はその子が嫌いだった。

未来は長く続く

キム・ソンジュン

キナは完璧にきれいな人間の女だ。まぶたがないことさえ除けば。いくつか問題はあったが、病気というより栄養失調による気絶に近かった。意識が戻るとキナは、知っていることを全部打ち明けた。

「私たちはテラフォーミングのために十四か月前に地球を出発しました。開拓事業といえば聞こえはいいけど、実際には捨てられたも同然です。私を入れて三十人のうち、健康を保っている人は一人もいないんですから。男性が二十三人、女性が七人でしたけど、半分以上死にました」

「基地はどのくらいの大きさ？　中には何があるの？　宇宙船もある？」

「私たちだけ着陸させて行っちゃいました。他の星、金星の衛星のどれかに行くって言ってました」

「でも、どうしてここに三十人も置いていったんだろう？」

「燃料が足りなくて……初めはわかってなかったけど、食料も装備も劣悪だったので、大人の人たちが調べてみてやっとそのことに気づいたらしいんです。五年後に帰還船が来るって言ってましたが、誰も信じていません。それまで生き残れる人もいないでしょうし」

「でも、みんなと一緒にいた方が安心でしょ。なぜ逃げてきたの？」

それまで聞いている一方だった私がそう言って割り込んだ。沈黙。まぶたがあるなら何度もまばたきするぐらいの時間が流れた。キナは私の目をまっすぐ見ながら、硬い声で答えた。

「強姦されないために」

「その目、どうしたの？」

間髪を容れず立て続けに聞くと、ライカが私をにらんだ。私は引き下がらずに、返事を待った。長い話が続いた。

キナの故郷はＭＯＪＯと呼ばれる都市型ビルディングだった。貧富の差による両極化が激しくなり、ビルが老朽化すると、上流層の人々は新しいビルへの移住計画を立てた。秘密が漏れ、大々的な反乱が起こり、鎮圧され、都市は二つに割れた。祖父と両親が反乱軍に加担したせいで、キナは四歳のときにまぶたの除去手術を受けさせられた。成長期のキナはオールドタウンで、自分が見ているすべての広告宣伝をそのまま目に映す、生きた広告塔として暮らしていた。ＭＯＪＯでは、誰もがまばたきするたびに広告を見るようになっている。まぶたの内側が一種のディスプレイになるのだ。広告は消費者の関心に合わせて選ばれるので、どんな広告を見るかはその人の現在の欲望を表す尺度となる。大部分の人たちは、絶えず通り過ぎる広告を気にすることもない。だが、キナのような人たちにとって、それは全く違う意味になる。

成人用品やポルノサイトの広告を自分のまぶたの中で見ているのは恥ずかしいことではない。「私だけ」が見るのはきまりの悪いことではない。だが、まぶたのない人たち、反乱者たち、見せしめにされた者たち、常に思想検閲を受けねばならない人たちは、特殊な羞恥心を感じるしかない。

「『フナの子』。それが私のあだ名だったの。だからテラフォーミングの志願者を募ったとき、真っ先に申請したんだ。一分一秒でも広告を見ないで暮らすことさえできたら、他に望みはなかったから。宇宙に出て初めてぐっすり眠れたの」

私と同い年のこの女の子は、想像もつかないような経験をしてきたのだ。そう思うと敵意が少しやわらいだ。キナの瞳は赤く充血していた。目を保護するために、睡眠時間以外にも、随時眼帯をしていなくてはならなかった。疲れきった目からはいつも涙が出ていたので、キナは泣きたいときに泣いても恥ずかしくなかった。

キナの登場で、ライカとダイモスは忙しくなった。宇宙船を防御用要塞にするのと、全く別のところに隠れ家を作るのとどちらがいいか、二人は絶えず討論していた。どっちも必要だという結論が出ると設計に突入し、私は後ろに追いやられるしかなかった。

「退屈だから、一緒に泳ぎに行こうか?」

湖に行こうと言うと、キナはためらっていた。そして、自分は泳げないのだと打ち明けた。超高層ビルであるＭＯＪＯで、水泳は、最上流層の人たちだけが楽しめるスポーツだった。私は気にせず、キナの手を引っ張っていった。それまで生徒役しかやってこなかったが、これは先生役をするチャンスなのだ。

湖に着くと服を適当に脱いで、水に浮かぶお手本を見せてあげた。初めは水に足をつけているだけだったキナは、だんだん私の後を追って水に入ってきて、四日めにはとうとう背泳ぎに成功した。

「見て、マヤ、私、水に浮いてる!」

キナは興奮を隠すことができずにそう叫んだが、すぐにばたばたもがきはじめた。私は笑い出し、キナの塩のような色の髪の毛が夕日に染まるのを眺めていた。真紅のざくろのような瞳に同じ色の火星の空が映った様子は、絵のようだった。水泳を教えてもらったお返しにと、キナは私に歌を教えてくれた。キナの歌は蜃気楼のように豊かで多彩だった。

「あなたを見てて、いちばんうらやましいことは何だと思う？」

歌をぱっとやめて、急にキナが尋ねた。当然まぶただろうと思ってそう答えると、キナは違うと言う。

「まつ毛」

キナが私の方へぴったりと顔を寄せ、指先で私のまつ毛にそっと触れた。閉じることのない瞳に、私の顔が映っているのが見えた。その瞬間、背中のひれの突起がツンと立ち、尾骨がくるりと巻くような感じがした。

「目を閉じると、まつ毛がスカートみたいにひるがえるんだよ。すごくきれい」

「私は、あなたがきれいだと思うけど」

ぼうっとして私がつぶやくとキナは声を出さずに笑い、「これあげる」と指から指輪をはずし、手渡してくれた。大きな模造宝石がついた指輪だった。

「SOSの信号を出せる指輪なんだ。ボタンを押したら、おじいちゃんの同志たちが助けにきてくれるって言ってた。すぐじゃなくても、いつかは地球に戻れる秘蔵のカードだよ」

こんなものがあるならどうして活用しなかったのかと聞くと、キナは、何があっても、地球はおろか、その近くに行くつもりもないと言うのだった。

「電波が入るからね。そしたらまたあの嫌な広告を見なくちゃいけない。宇宙に来て私が悟ったことはね、広告がないから、考えが中断されないってことなの。眠る前に考えてたことの続きを、翌朝目を覚ましてすぐに考えられるって、何て不思議なんだろう。考えが遮られない自由を一度味わった人は、前には戻れないわ」

キナは完璧な人間なのに私をうらやましがっている。まつ毛以外のことでも。

「ライカとダイモスがあなたをどんなに大切にしているか、すぐにわかったよ。誰かがあなたの髪の毛一本にでも触ったら、大騒ぎする人たちだね」

「人じゃないけどね、犬とロボットだけどね」

私は顔を赤らめ、思わず指輪をはめてみた。でも水かきにひっかかるので抜いて、いつもしている誕生石のネックレスに通すことにした。これを使うことはなさそうだけど、生まれて二度めにもらったプレゼントだもの。そしてキナは、自分の持ちものの中でいちばん大事なものを私にくれたのだ。そう思うと私ははっとして、自分が待ちつづけていたのは友だちだったと気づいた。

「待ってて。私もあげるものがある！」

私はぱっと立ち上がり、ダイモスが見たらすごく嫌がりそうなことをやってしまった。大事な大事なケシの花びらを二枚むしって、石を枕にして寝ているキナの目の上にそうっとのせてあげたのだ。

「これ、まぶた。私のプレゼントだよ」

花びらで目をつぶったキナの唇が開き、私にとって一生忘れられない微笑が生まれた。顔から花が咲いたみたい。私は流れるように体をかがめて唇に唇を合わせた。ずっと後になって帰還ロケットが火星を出発する瞬間、最後に思い出したのもその姿だった。花びらをのせて笑っているキナ。私の友だち、私の恋人、永遠の赤い星、キナ。

水槽の横にジョン・ヴァードンが椅子を持ってきて座っている。一度せきを切ったらとめどなく湧き出てくる私の言葉を、もうちょっとよく聞き取るためだ。

「もう一度ケシの花が咲くまで、三年もかかりました。おかげで私はダイモスにさんざん怒られてね。ダイモスが怒るのを初めて見ました。『必ズ怒ルベシ』、そんな命令でも思い出したんでしょうか？『湖に行って、じっとしてなさい！』って彼は叫びました。よかった、と思ってすぐに湖に走っていったんです。そうでなくてもキスをした後は頭の中がごちゃごちゃで、息ができる場所を探してたところでしたから。その日初めて、一時間以上の記録を立てたんです。見かねたライカが水に飛び込んで引っ張り上げてくれるまで、水底にじーっと沈んでいたんですよ。そのとき一気に、えらで呼吸する方法がわかったんです。

私は水の中で、両腕で自分の体を抱いたまま、湖全体に鳴りわたる心臓の鼓動を聞いていました。そしたら、あまり使っていなかった窓を苦労して開け放ったみたいに、耳の後ろのひれが少しずつ動きだしたんです。流れに沿ってゆっくり開いては閉まるえらの感覚は、何ていうのか、優しかったですね。

息ができるようになったんですよ。ついに水の中でね！　キスが開けてくれた呼吸穴のおかげで、私は新しい体に移行できたんです。ダイモス風に言うなら、進化です。陸と水の両方で生きられる可能性」

水中聴音機を持ったジョン・ヴァードンが、黙ってうなずいた。

미래는 오래 지속된다 by 김성중
Copyright © Kim seong joong, 2020

断崖式

桐野夏生

昨日、駅向こうのスーパーマーケットで偶然、大学時代の後輩に会った。それほど親しくもなく、顔見知りという程度の人だったが、その彼女の口から、巻上真紀が死んだ、という話が出て驚いた。それも、一年も前のことだそうだ。

まだ、真紀は四十になるかならないかのはずだ。何が起きたのだろう。わたしが首を傾げると、後輩は自転車を引き寄せ、暗い顔で囁いた。「自殺だったそうです」。その時、彼女の自転車カゴに載せたレジ袋から、コンニャク菓子のパッケージが転がり落ちた。

真紀の死は、近親者によって封印され、自死の方法についても、本人の遺言で明かされていないのだそうだ。しかし、水瓶から少しずつ液体が染み出るように、いつの間にか、真紀の死が囁かれ始めたのだという。

真紀が自死するとしたら、身投げだったのではないかと瞬時に思った。断崖から落ちて砕け散るのが、真紀に相応《ふさわ》しい死に方のような気がして思わず目を瞑《つぶ》った。

雪崩式よりも、断崖式の方が効く。ふと、真紀と交わしたプロレス技についての会話が蘇った。わたしの中に、真紀はいつかそんな最期を迎えるのではないか、という悲劇的な予感があったのだろうか。正直に言えば、あった。自分も致命傷を負うのだから。わたしは納得している自分に気付いてうろたえた。

以来、落ちてゆく真紀の、幻の残像が脳裏にこびりついて離れなくなった。そして、彼女は落ちながら、どんなイメージを見たのだろう、とそればかり考えている。


わたしは大学生の時に、真紀の家庭教師をしていた。真紀が小学五年生になった春から、中学一年生の年の暮れまでのほぼ三年間、月曜と木曜の週に二日、一度も休むことなく、巻上家に通い続けた。

外語大の同じ語科の学生が代々、真紀の家庭教師を務めてきたのだ。わたしは入学早々、先輩からこのバイト先を譲り受けた。「真紀ちゃんは頭いいけど、やる気は全然ないよ」という申し送りとともに。

わたしの前の先輩は二人で一年ずつ、わたしが辞めた後、一人の後輩が二カ月のみ。だから、わたしが一番長く、真紀と付き合ったことになる。

ちなみに、スーパーで真紀の死を知らせてくれた人物は、真紀の最後の家庭教師をした後輩の同級生だ。四年になる前、わたしは慣例に従って、同じ語科の後輩に真紀を紹介した。だから、真紀があの事件を起こした時は、その後輩が家庭教師をしていた。だが、彼女はわたしとは違い、授業以外はほとんど、真紀と話をしなかったと聞いた。

わたしだって、真紀がそれほど心を開いてくれたとは思っていない。だけど、授業の合間の雑談は楽しかったし、ふとした時の目の輝きや言葉の端々から、真紀が賢くて知的な少女だということは充分伝わってきた。

今ならメールやLINEで、もっと気軽に連絡を密にできたかもしれない。しかし、当時は週に二日会って、一日二時間、勉強を教えるだけの間柄だった。それでも、わたしには、真紀は年若な友人、と言っても差し支えないような、親しい気分があった。真紀にとっても、わたしがそうであったのなら嬉しいと思う。

真紀は、外見はおとなしそうな、普通の女の子だった。太く美しい眉と、吊り上がった一重瞼の目。目許は意志的なのに、唇はいつも引き結ばれて、何かに耐えているような、ちぐはぐな印象があった。わたしには、その表情が魅力的に映った。

真紀が自分から進んで喋ることはあまりなかったが、わたしが水を向けると、ぽつぽつと、それも面白い言葉を選んで喋るので、いつももっと話していたいような気にさせられた。しかし、わたしが会話を楽しんでいることを察すると、真紀はすぐに口を噤《つぐ》んで、唇を引き結んでしまう。

面白いことや楽しいことを、自分に禁じているのだろうか。そう考えたこともあるが、ある日、違うと気付いた。真紀は、会話で得た知識や浮かんだ考えを、会話を途中でシャットアウトして反芻《はんすう》していたのかもしれない、と思ったのだ。そのため、「真紀ちゃんて、何かマイペースで可愛くないんだよね」と言う先輩もいたが、わたしは子供らしくないところのある子供、と思っていた。

初めて会った頃、真紀はショートカットにしていた。細くて輝きのある髪質なので、「真紀ちゃんは長いのも似合いそうだね」とわたしが言うと、それから一度も髪を切らなかった。わたしが家庭教師を辞める頃、真紀の髪は背中の中ほどまで伸びていた。真紀は

断崖式

桐野夏生

長い髪を真ん中で分けて、学校に行く時はひとつに纏《まと》めていた。
「髪の毛、ずいぶん長くなったね」と言うと、「先生が言ったことが正しいかどうか、試してるの」と答えた。「やっぱり似合うじゃん、いいよ」。わたしが褒めると、「そうかなあ」と、どうでもいいことのように首を傾げた。一瞬、面映《おもは》ゆそうな表情を浮かべたが、それはすぐに掻き消された。

このように、真紀は長い時間をかけて、ものごとを実証したり、検分するようなところがあった。のろまだと思う人もいたかもしれないが、躊躇とか羞恥とか、そういう言葉とは無縁でありたい、と心がけているような少女でもあった。我慢してでも合理性を貫く、とでも言おうか。先輩の言うように、確かに可愛げなどはない。ある意味、激烈でもあったのだ。

わたしは、山口県の出身で、実家は廃業寸前の傾いた呉服屋だった。東京の大学に通う娘に、潤沢な仕送りをしてくれるような経済状態ではなかったから、わたしは家庭教師を三軒、掛け持っていた。月木が巻上家、火金と水土は、他のふたつの家。大学に行く以外は、アルバイトばかりしていた学生生活だった。

家庭教師をしていた三軒の中では、巻上家の待遇が最もよかった。夏冬に、ひと月分の報酬をボーナスとしてくれたし、菓子やジュースなどもよく貰って帰った。また、たまに、真紀と一緒に夕食を呼ばれたりもした。そんな時の夕食は、鰻重や鮨の出前だった。

貧しい食生活をしていたわたしは、喜んで相伴させてもらったが、真紀は何となく憂鬱そうで、会話も弾まなかった。真紀は、人前でものを食べる行為を嫌っていた。父親の店の前は絶対に通らないようにしている、と言っていたから、飲食業の父親を憎んでいたせいだったのかもしれない。真紀の嫌悪の連鎖が、何と何を繋げていたのかは、よくわからなかった。

わたしたち家庭教師への待遇が良かったのは、真紀の母親の配慮だった。しかし、真紀の母親は、常に寂しい顔をした専業主婦で、笑ったところを見たことなど数えるほどしかない。顔も地味なら、髪型も服装も何もかもが地味で、暗い色のスカートを穿き、今どきテレビドラマの中でしか見ないようなエプロンをして、始終、キッチンの片隅で、豆の筋を取っているような人だった。実際、わたしの先輩は最初、お手伝いさんと間違えたそうだ。

授業の日、玄関ドアを開けると、その地味な母親がスリッパを揃えて待っている。スリッパは、冬は分厚いフェルト製で、夏は麻素材と決まっていた。

挨拶も定番で、「先生、いらっしゃいませ。真紀が待っています」と、わたしの目を見ずに言う。終われば、「ありがとうございました」と、また目を合わせずに礼をする。わたしは母親の顔を正面からまともに見たことがなく、幽霊のような人だと思っていた。

必ず在宅している母親とは逆に、真紀の父親を見かけることは、滅多になかった。ただ、一度だけ、玄関で鉢合わせしたことがある。

「ああ、あなたが先生ですか。真紀がいつもお世話になっています」

驚いたことに、眼鏡を掛けた細面の美男子で、真紀の母親よりもはるかに若く見えるし、服装も洒落ていた。口下手の真紀の母親とは反対に、会話はそつがなく、笑顔を絶やさない人誑《ひとたら》しでもあった。

当時、真紀の父親は、都下の街道沿いで、手広く飲食チェーンを営んでいた。どの店も郊外にあって、だだっ広い駐車場付き。鮨から焼肉、ラーメン、うどん、そば、何でもあって安価。庶民が週末、家族全員で食べに行くようなチェーン店だった。

わたしは、その大衆的な商売と地味な妻からの想像と、真紀の父親の実印象が大きくかけ離れていたので、驚いたのだった。

「お父さん、カッコいい人だね。いつもいないけど、仕事忙しいの？」

「あの人？　あまり家には来ないよ」

真紀に訊ねると、真紀は関心がなさそうに答えた。来ないとは、どういう意味だろうと苦笑すると、真紀が続けた。

「お父さん、愛人のところにいるの」

小学生が平然と「愛人」という言葉を口にすることに、大学生のわたしは仰天し、どう言葉を継いでいいのかわからなかった。真紀は、わたしが動転しているのを面白がっている風でもあった。

「その愛人のところに、わたしの妹もいるの」

どうやら、子供もいるらしいと気付き、こういう時はどこまで突っ込んで話せばいいのかわからず、わたしはひたすら困惑していた。でも、真紀の家の空気は、わたしの家に漂う空気と少し似通っていた。

わたしが育ったうちは、家も古かったし、家のある街自体も古かった。

家の何もかもが古めかしくてカビ臭く、奥の座敷の畳を踏むと湿気で足が沈むほどだった。タンスはどれも軋んで引き出しが開きにくくなり、便所は暗くて臭い。床柱が曲がって家全体が傾いていたが、建て直すこともできずに、何代も前の埃や垢のような薄汚いものと、一緒くたに暮らしていたのだ。

実家は廃業寸前の呉服屋、と書いたが、実際、わたしが大学を出た翌年、完全に廃業というより破産した。父の事業が失敗して、何代も続いた店や家作を、借金のカタに取られたからである。

呉服屋は母の実家の商売だった。わたしの父は婿養子で入ったのだが、どうして婿に取ったのかわからないくらい、父は呉服になどまったく興味のない人だった。代わりに、いろんな商売に手を出しては、失敗し続けた。

母方の祖父が生きている頃は、それでもまだお得意さんがいて、呉服屋としての体面を何とか保てたらしいが、祖父が亡くなると、店はたちまち傾いた。もちろん、着物人口が目に見えて減っているのだから、何か別の商いをするか、商いのやり方を変えなければ立ちゆかないのはわかっていた。

父が始めたのは、これまでまったく縁のない飲食業だった。店を半分壊して、シェフを雇い、フレンチレストランを開いたが、年寄りしかいないような街では当然のようにうまくゆかず、その改築資金を回収できないうちに潰れた。その後は、悪いスパイラルに入っている、としか言いようのない状態だった。あちこちにスナックや喫茶店を出しては、ことごとく失敗した。

真紀の家とどこが似ているのだ、真紀の父親は成功しているではないか、と言われるかもしれない。でも、父親一人が好き勝手をしているうちの、家族の荒廃ぶりは、どこか似ているのだ。

わたしの父は、婿に入った呉服屋の身代と面目を潰すために、わざと苦手な商売に手を出して、失敗したのではないかと思っている。

父親の暴走は、家族を壊滅させる。周囲は振り回されて疲弊し、その疲弊がいろんなところに歪みを生む。そして闘うどころか、文句を言う気力さえも奪われてゆく。

結局、わたしがどうしたかと言うと、実家とは縁を切った。母親が聞くに堪えない愚痴をこぼしながらも、復讐を終えていない父とまだ一緒にいるからである。

父が何に復讐したいのかわからないし、そんな理由などどうでもよかった。ただひたすら、わたしは巻き込まれることを恐れて、実家から逃げた。東京で就職して以来、一度も里帰りはしていないし、妹もアメリカに留学したまま、帰ってこなかった。

巻上家は、都下の、少し建て込んだ住宅街にあった。家は、イギリスのカントリーハウスを、ごくごく矮小にしたような形をしていた。しかも、外壁はお菓子の家のようなクリーム色とピンクに塗られていたから、わたしたち学生は、ディズニーハウスと呼び慣わしていた。錬鉄で蔓草が象られた洒落た門扉。短いながらも、アプローチには赤いレンガが敷き詰められ、芝生にはドワーフ人形が並んでいる。見事なほど、作り物っぽい家だった。

ところどころに畑が残り、狭小の建て売り住宅がちまちまと並ぶような街だったから、巻上家は、周囲から完全に浮いていた。道行く人が冷笑を浮かべながら、呆れたような顔をして巻上家を眺め上げていくのを、目撃したことがある。

俗悪な家の姿と、真紀の母親の悲しげで虚ろな表情とが、どうしても結びつかなかったが、後に真紀から、家は父親の趣味だと聞いて、何もかもがミスマッチなのだ、と美男子の父親を思った。

要するに、美男子の父親は秩序の破壊者なのだ。わたしの父親と同じだ。わたしの父親と違うのは、ただ一点。商売を成功させて、家族を破滅に追いやったというところである。わたしの父親は店を潰して、破滅させたのだ。

真紀の父親は、一代でこの商売を成功させたが、強引な手法で土地を手に入れたり、従業員を安い賃金でこき使ったりしたから、敵も多かったらしい。そのせいか、あるいは関係がないのか、真紀は学校でいじめられていた。

そもそも、マキガミマキという名前が、からかいの対象になった。女子は真紀のことを、マキマキと可愛らしく呼んでいたが、男子はマキマキウンコと綽名して、よく囃し立てていたようだ。そのうち、真紀の綽名は、ただのウンコになったと聞いた。教科書や下敷きに、ウンコの絵を描かれたりしていたのを見たことがある。

真紀が六年生になった時、クラスに一人、とりわけ真紀にしつこく絡む男子がいた。六年生にもなって、真紀のことをウンコと呼ぶだけでなく、ディズニー風の家のこともからかい、しかも粗暴だったから、クラス中が彼に従って、真紀を「臭い」と言って無視したり、いじめるようになった。

真紀はある日、この男子にとんでもない方法で復讐した。自分の排泄物をほんの少しだけビニール袋に入れて朝早く登校し、この男子の椅子にこっそりなすり付けたのである。何も知らない男子は、「何か臭くねえか、ウンコの臭いがするぞ」と真紀の方を見て笑いながら椅子に座り、ズボンの尻に大便の染みを付けた。やがて、悪臭から大騒ぎとなり、この男子が洩らしたことになった。本人もわけがわからず、泣いて帰ったという。

わたしはその話を真紀から聞いて呆れた。いくらいじめられたからと言って、自身の排泄物を他人になすり付ける人がどこにいるのだろう。

「ウンコ野郎と言われたら、どんな気持ちになるか教えてやったんです。プロレスって、みんな報復するじゃないですか」

真紀は笑いもせずに言った。真紀は柄にもなく、プロレスの話が好きだった。わたしが付け焼き刃で、試合の流れや技の説明をすると、喜んで聞いていた。しかし、それは笑い話の範疇だった。

わたしは真紀の行為が、いじめっ子ではなく、父親に向けられた憎悪によるもののような気もしていた。

マキガミマキ。巻上という名字なのに、真紀という名を付けたのは、父親だったという。それもマキがふたつ重なったら面白いからと興がって付けたのだそうだ。「どうせ名字なんか、女には記号でしかないんだ。嫌なら、結婚すればいいよ」と言ったとか。

しかし、年若な愛人との間に生まれた女児には、画数を考えて、「優衣」という美しい名前を付けて認知した。長女に真紀と名付けたことを反省したからではなく、後から生まれた女児が単に可愛かったのだと思われる。優衣は、真紀と八歳違いだ。

実は、真紀の下には三歳違いの弟がいた。過去形なのは、三歳の時に病気で亡くなったからである。つまり、わたしが真紀の家庭教師になる四年前に、亡くなったことになろうか。そのせいで、真紀の母親は、尽きぬ悲しみの中にいたのだろう。

早世した弟の名前は、巻上康明。父親の典明から、一字貰っていた。真紀は、父親に自身の名前だけが、ふざけて付けられたことを、恨んでいたのではないだろうか。いや、くだらないことではない。自身が軽んじられている痛みは、敏感になればなるほど、いろんな証左を見つけ出してくる。


突然、真紀のうちに大きな変化があったのは、真紀が中学一年になった夏だ。わたしが後輩と家庭教師を交代する三、四カ月前のことだった。

いつも通り、巻上家のインターホンを押して錬鉄の門扉を開けてもらい、レンガ敷きのアプローチを玄関まで、ほんの数メートル歩いた。その時、庭から女児の声が聞こえてきた。覗いて見ると、ツツジの茂みの向こうの狭い庭いっぱいに、ビニールプールが広げられ、赤い水着を着た五、六歳の女の子が水に浸かって遊んでいた。

体格のいい身体がプールからはみ出るようになっていたから、すでにビニールプールで

断崖式

桐野夏生

遊ぶような歳ではなかったはずだ。女の子は、風呂に入るように手足をだらんとビニールプールから出して、胴体だけを水に沈めていた。

真夏だったが、その日の陽射しは弱く、時折、太陽が雲に隠れた。わたしが巻上家を訪れた時も、ちょうど日が翳った時だったのに、女の子は気持ちよさげに水に浸かっている。

わたしはしばらくアプローチから、女の子を眺めていた。巻上家の親戚が来ているのだろうと思って、声をかけようかどうしようか迷っていた。

すると、二階の自室から庭を見下ろしている真紀と目が合った。真紀に挨拶しようと手を上げかけたが、真紀はちらりとわたしの方を見ただけで、窓から顔を引っ込めてしまった。

その時に玄関に現れたのは、真紀の母親ではなく、若い女だった。普段着らしいのに、凝った作りの、黒いノースリーブのワンピースを着ている。素顔なので、高校生くらいに見えた。白い甲高の足に、紺色のペディキュアが映えて美しかった。

知らない人なので、わたしは自己紹介をした。

「真紀ちゃんの家庭教師をしてる水高です」

「ああ、水高先生。私は愛子と申します。どうぞよろしくお願いします」

頭を下げられて、わたしはわけのわからぬままにお辞儀をした。その時やっと、インターホンで返答をした声に聞き覚えがなかったことに気付いた。いつもは母親の陰気な声だったのだ。お手伝いさんにしては、服装が洒落てるし、この家に長く来ているのに、親しい親戚の話も聞いたことがない。愛子とは何者だろう。

階段を上がっていくと、真紀が自室のドアを開けて待っていた。小学生の時から着ている、Tシャツとショートパンツという恰好で、いつもより子供っぽく見えた。

「愛子さんて、親戚の人?」

わたしは後ろ手にドアを閉めながら聞いた。

「あの人がお父さんの愛人」

真紀は抑揚のない声で答えた。わたしは愛人がどうして本宅にいるのか不思議だったので、どう反応していいのかわからなかった。

「あの庭にいる子が、優衣ちゃんて子で、わたしの義理の妹。お父さんが、二人きりで可哀相だからって、連れてきたの」

優衣に軽い知的障害があるということで、父親が親子ともども引き取ったのだという。二階から見下ろしていたことも、真紀は説明した。

「プールで溺れると可哀相だから、わたしが監視してたの」

母子家庭で子に障害があり、二人で暮らすのが困難とはいえど、真紀も真紀の母親も、父親の愛人親子と一緒に暮らすことができるのだろうか。

大学三年のわたしに、答えが出せるわけもないし、また質問もできない気がして、わたしはただうろたえていた。まるで泥のように反応のない真紀の母親は苦手だったが、こんな屈辱を受ける謂われはないような気がして、落ち着かなかった。

「真紀ちゃん、ともかく勉強しようか」

英語の参考書をリュックから取り出していると、ノックの音がして、愛子が盆を持って入ってきた。盆には、器にフィナンシェが山盛りになっていて、麦茶を入れたポットとグラスがあった。ポットに入った麦茶は、真紀の母親がいつも部屋に置いていってくれたものだ。

「真紀ちゃん、夏休みでも勉強して偉いね」

そんなようなことをくどくど言って、愛子が部屋を出て行く。まるで母親ごっこをしているようだった。

私は麦茶をふたつのグラスに注ぎ入れながら、真紀に訊いた。

「お母さんはどうしたの？」

「出て行った」と真紀は小さな声で答えて、嘆息した。

「出て行っちゃったの？　困ったねえ。お母さん、どこに行ったの？」

「わかんない。連絡ないし」

「それ、心配じゃない？　お父さんは知ってるのかな。警察とか行かなくていいの？」

「お父さんはいいって言ってる」

「だけど」

慌てるわたしに、真紀は首を傾げた後、こう訊くのだった。

「先生、こういう時ってどうしたらいいですか？」

迷う真紀を見たのは、初めてだった。これまでの真紀は、自分で方策を考え、一番合理的と思う方法で解決を図っていたのだ。

わたしは真紀に何と答えたのだろう。わたしの家の話や、父親の話をした後で、大人の事情は子供にはどうにもできないから方策などない、親がいなくなる以外に解決法はないのだから受け入れるしかない、などと絶望的なことを告げたように思う。

今思えば、その時のわたしは、中学一年の真紀に、ほとんど自分の話ばかりしていた。わたしの家の滅亡を意識した時、わたしはすでに高校生だったから、何とか進路を決めて進むことができた。でも、真紀はまだ中学一年だ。父親相手では、ウンコをなすりつけたくらいでは解決しない。わたしの話は、真紀には酷だった、と今なら思うが、当時はわからなかった。


母親が出て行って、愛人とその子供が一緒に住むようになった家で、真紀は普段通りに暮らした。私も月曜と木曜は家庭教師に行き、勉強の合間にプロレスの話をして笑ったり、大学での出来事なども面白おかしく話した。真紀は少し元気をなくしたようだったが、これまで通りで、とりわけ変わったところはないように見えた。

大きな変化と言えば、これまで家に寄りつかなかった父親が、毎晩、判で押したように帰ってくることだった。七時には帰宅して、家族全員で食卓を囲むようになったのだそうだ。

愛子はいつもにこにこと機嫌がよくて、私にも感じがよかったし、優衣という女児も人懐こい、可愛らしい子だった。一度しか見かけたことがなかった父親にも、頻繁に出会うようになった。颯爽と美男子然としていた父親は、少し太って貫禄がつき、これまで以上に満足そうに見えた。

断崖式

桐野夏生

私が真紀に教えるのは、年末までの約束だった。最後の日、送別会を開くから、ご飯を食べていってください、と愛子に言われ、父親と愛子、真紀、優衣、そしてわたしの五人で、食卓を囲むことになった。

これまで、真紀の母親に夕食を食べていくように誘われても、母親は給仕に回っていたから、真紀と二人だけで食事をしていた。家族全員で食卓を囲む食事に誘われたのは初めてだった。

その夜のメニューは、ステーキとサラダ、ワインなどだった。わたしは父親と愛子に勧められて、赤ワインを初めて飲んで酔った。酔ったわたしは、父親や愛子とお喋りをして楽しんだ。大人と対等に話すのが楽しくもあったし、父親と愛子はよく似ていて、二人とも闊達で話好きだった。真紀ならば、途中で唇を引き結び、話を何度も反芻して滋養だけを体内に残したことだろうが、酔ったわたしは、ただ会話の表面を気持ちよく撫でることに専心していた。

ふと気が付くと、真紀がわたしを凝視していた。その眼差しの強さに耐えられなくて、わたしが真紀の皿に目を移すと、ほとんど手付かずだったので、真紀が人とものを食べるのが苦手だったことを思い出した。

だが、父親も愛子も、真紀が食べないことには無頓着のように見えた。あるいは、知っていても気付かないふりをしていたのかもしれない。

真紀が父親を絞殺したのは、それから二ヵ月後、二月の夜だった。その時、家庭教師をしていた後輩から知らせを聞いたのは、翌日の午後だ。

夕食時に、些細なことで父親と真紀が口論になり、こじれたまま真紀は自室に戻ったという。父親はそのまま居間に残り、テレビを見ながら飲酒しているうちに、ソファで寝込んだところを、真紀に電気コードで絞殺されたのだった。その些細なことというのは、真紀が肉を食べ残したことを、父親が厳しく注意した、というものだった。

十三歳だった真紀は女子少年院に送致され、四年と八カ月の間、そこで更生した。愛人が同居して、実の母親が出て行くという異常な状況のもと、誰も真紀の心情を慮らなかったという情状酌量もあり、尊属殺人とはいえ刑は軽かったという。元来、頭のいい真紀は、女子少年院で勉学に励み、大検にも受かっている。

真紀が出所したと聞いて、わたしたち歴代の家庭教師は四人で、巻上家に行った。わたしは一人で行きたかったが、尻込みした先輩が皆で行こうと言い張ったので、とりあえず四人で顔を出すことにしたのだ。

真紀は、十八歳になっていた。背も伸びて子供の頃の面影はまったくなかった。わたしたちは、美しくなった真紀の前で絶句した。真紀は終始にこやかで、わたしたちの訪問を心から喜んでくれたように見えた。ただ、輝いていた長い髪は、短くカットされていた。

「真紀ちゃん、髪の毛切っちゃったんだ」

「ええ、所内では短くするきまりだから」

私の言葉に、真紀が髪に手を遣《や》って答えた。

「また伸ばせばいいじゃない。似合っていたよ」

「でも、短い方が楽だから」

真紀は屈託のない笑いを浮かべて、間髪を容れずに答えた。以前のように、唇を引き結んで言葉を反芻し、熟考していた真紀はもういないのだ、とわたしは思った。

驚いたのは、真紀の母親が帰ってきていて、愛子と優衣を加えた四人で、仲良く暮らしていたことだ。真紀の母親は、暗く寂しい顔をした人だったと記憶していたが、人の目を見て、よく喋る女に豹変していて、わたしたちは皆驚いた。

「わたしたち、四人でうまくやってるから大丈夫です。心配しないで」

真紀に明るい口調で言われて、わたしたちは一応安心して巻上家を辞した。それが真紀と会った最後だ。

真紀とはその後もクリスマスカードや年賀状を送り合っていたが、それもいつしか途絶えて、今はどうしてるかな、と時折思い出す程度だった。

しかし、わたしはあの送別会の時のことを思うと、長らく真紀に対する責任のようなものを感じていた。あの時の真紀の目の色にあったもの。あれは、わたしはどうしたらいいですか？　という問いに対する答えをまだ聞いていない、という怒りではなかったか。

断崖から落ちてゆく真紀が最期に見たものは、わたしが真紀に答えている幻の瞬間だったかもしれない。父親を殺せ、と。

老いぼれを燃やせ

マーガレット・アトウッド
鴻巣友季子＝訳

小さな人たちがナイトテーブルによじ登っている。今日は緑の服。女性たちは十八世紀風パニエの上にオーバースカートを穿き、つばの広い天鵞絨《ビロード》の帽子をかぶり、ビーズがきらきらした、襟ぐりのスクエアな十五世紀風ボディスを身につけ、男性たちはサテン地のニッカーボッカーに、バックル付きの靴を履き、肩章の編み飾りをなびかせ、三角帽子《トリコーン》にばかに大きな羽根飾りをつけるという十八世紀風。時代考証など気にしないのだ、この人たちは。まるで、劇場の舞台裏で退屈した衣装デザイナーが酔っ払って、コスチュームの保管箱から手あたり次第引っぱり出したかのよう。こっちに初期チューダー王朝風のネッククラインがあるかと思えば、あっちにはゴンドラの船頭風のジャケットがあり、またこっちには中世風ハーレクィンの装いがある。ウィルマはそのしっちゃかめっちゃかな奔放さにうっとりしてしまう。

小さな人たちはぞくぞくと登ってくる。手を伸べあいながら。ウィルマの目の高さまでくると、みんなで腕を組んで踊りだす。まわりに障害物があるわりには、ずいぶん優美に。ナイトスタンド、娘のアリスンが送ってきた宝石商用ルーペ——気をつかう振りだけで、たいして役に立たない代物——文字が拡大できる電子書籍リーダーなどがある。目下、四苦八苦しながら読んでいるのは、『風と共に去りぬ』だ。十五分で一ページでも、のたのたと進めたら儲けもの。とはいえ、前に一回読んでいるから、主だった展開はありがたいことに憶えている。なるほど、それで今日は小さな人たちの服が緑色になったのか。わがままなスカーレットがやんごとなきレディに化けようとして、緑のカーテンをドレスに仕立てさせる有名な場面があるじゃないの。

小さな人たちは輪になってまわる。女たちのスカートが波のように広がる。今日は機嫌が良いみたい。うなずきあって、にこにこして、しゃべっているかのように口を開けたり閉じたりしている。

この人たちは実在しない幻だと、ウィルマはよくよくわかっている。ただの症状にすぎない。「シャルル・ボネ症候群」というのだ。この年齢ではありふれたもので、とくに視覚障害のある人たちによく見られる。でも、自分はまだ運がいい。出現する幻たち――主治医のプラサド先生は「あなたのチャッキーたち」と呼ぶ――は、おおかた温厚だし、しかめ面をしたり、異様なほど膨れあがったり、粉々に崩れてしまったりするのは、ごくたまのことだ。それに、怒ったり、ふくれたりしていても、べつにウィルマのせいで不機嫌になっているわけではない。なぜなら、小さな人たちのほうはウィルマの存在を認識していないから。医者いわく、おおかたそういうもの、だそうだ。

ウィルマとしても、ミニチュアのチャッキーたちをたいていは歓迎している。いっしょにおしゃべりができればいいのにとも思う。身のまわりの世話を焼いてくれる相棒にそう話すと、めったなことを「願う」ものじゃないと言われた。一つ、その人たちは一度しゃべりだしたら止まらないかもしれない。二つ、なにを言いだすかわからない。と言って、過去の自分にふりかかった出来事の述懐に突入した。言うまでもなく、遠い過去のこと。なんでも、彼女はインドの女神《にょしん》のごときバストと、大理石のギリシャ彫刻のようになめらかな太ももをもつ蠱惑《こわく》の女だったが——相棒はこういう時代がかった、大げさな喩えを使いがちな人なのだ——、口をひらけば陳腐な文句ばかり飛びだすので、こらえていた苛立ちが爆発しそうになった。彼女をベッドにつれこむのに、押したり引いたり、奮闘したという。チョコレートはハート形の金色の箱に入った最上級のものを贈ったし、お金に糸目はつけなかった。シャンパンもごちそうした。なのに、彼女はなびいてくるどころか、ますますアホな態度に出るのだった。

知的な女性よりおつむの弱い女性を口説くほうがむずかしいのだとか。後者は暗黙のほのめかしを解さないばかりか、因果関係というものがわからない。高価なディナーの後には——昼の後に夜が来るように——その比類なき脚をおとなしく開くべきだということが理解できないのだ。

ウィルマは以下のように助言するのは仇《あだ》になると思って、控えている——その手の美女たちにしてみれば、ぽかんとした顔やおバカぶりは演技なんじゃないか。大きくてマスカラたっぷりの目をぼんやり見開くだけで、おごってくれる相手がいるなら、吝《やぶさ》かではないんじゃないか。かつて、婦人用の〝化粧室〟でかわした打ち明け話を思いだす。そう、トイレが〝化粧室〟と呼ばれていた時代のこと。陰でくすくす笑いあっていたことや、だまされやすい男たちの対応マニュアルを交換したものだ。口紅をひきなおし、眉を描きなおす合間に。とはいえ、小粋なトバイアスをわざわざ怒らせなくてもいいだろう。もはや、そうしたインサイダー情報を実地で生かせる年齢でもないし、ばら色の思い出を曇らせるだけだ。

「あの時分に、知りあいたかったよ」トバイアスはチョコとシャンパン物語の独演会の途中で、ウィルマに言う。「ふたりの間に、さぞ熱い火花が散ったろうにね！」ウィルマは頭の中でこれを分析する。この人はわたしが知的な女性で、ゆえに、すぐものにできると言っているのか？　少なくとも、若い頃なら。こんなひと言でも、相手しだいでは、侮辱として怒りを買いかねない物言いになると気づいていないのか？

まあ、気づいていないだろう。むしろ、そんなセリフを吐くのが女性への礼儀だ、ぐらいに思っていそう。言わずにはいられない性分なのだ、気の毒に。本人が言うには、ハンガリー人の血がそうさせるらしい。そんなわけで、ウィルマは神々しいバストが出てこようが、大理石のごとき太ももが出てこようが、くだくだしい話に辛辣なコメントもせず――かつての自分ならやっていたかも――好きにしゃべらせておく。すると、トバイアスは同じ口説き話を何度でもくりかえす。ここでは、たがいに労わりあわないとね。ウィルマは自分に言い聞かす。もはや、頼りは自分たちだけなんだから。

肝心なのは、トバイアスはまだ目が見えているということ。窓の外を眺めやり、この富裕層向け老人ホーム〈アンブロージア荘〉［ambrosia 神々の食べ物。これを食べると不老不死になれ、傷に塗布すればたちまち治癒するとされた］の重厚な玄関ドアのむこうの敷地内で起きていることを教えてくれるかぎり、かつての悩殺美形の性的魅力とやらを鬱陶しがっている場合ではない。できごとは逐一知りたい。そこにできごとがあるかぎり。

ウィルマは目を細めて、時計の大きな文字盤を見る。もっとよく見えるように、顔のすぐ近くまで時計をもってくる。いつもながら、思ったより遅い時間になっている。ナイトテーブルの上を手探りし、ブリッジを探り当てると、口の中にすぽんと嵌める。

小さな人たちは踊りをワルツに変えていたが、ステップ一つ乱さない。この人たちにとって、老女の義歯は興味の対象ではないのだ。それをいったら、だれが興味をもつのやら。例外はこの自分と、いまどこにいるにせよ、歯科医のスティット先生ぐらいだろう。ウィルマを説得し、いまにも割れそうな臼歯を何本か引っこ抜いて、インプラントを入れさせたのは、スティット先生だった。確かあれは、十四、五年前のこと。インプラントを入れておけば、将来、ブリッジが必要になっても、装着する土台ができるでしょう。ええ、きっとブリッジが必要になりますよ、というのが先生の見立てだった。あなたの歯はフッ素塗布していないので、じきに濡れ漆喰みたいにボロボロになってしまうでしょうから。

「のちのち、わたしに感謝するはずです」先生は言った。

「そこまで長生きすればね」ウィルマは笑いながら答えた。まだあの頃は、死について軽口をたたきたがり、そうすることで、意気軒昂で達者なばあさんだと思われたい年齢だった。

「いつまでだって長生きしますよ」先生は言った。それは太鼓判というより警告のように聞こえた。先々、長いこと客にできそうな患者だと踏んでいただけかもしれないが。

とはいえ、こうしてみると、ありがたい。ウィルマは毎朝、スティット先生に心のうちで感謝する。歯抜けの人生なんて、悲惨だろう。

きれいにそろった白い歯の笑顔を装着すると、ウィルマはベッドをすべりおり、足先でタオル地のスリッパを探りあて、トイレへそろりそろりと移動する。トイレはまだ独りでなんとかできる。トイレ内では、どこになにがあるかぜんぶ把握しているから、全盲になったみたいな気はしない。目の端あたりは、まだ機能している感覚がある。もっとも、視界の中心の空白は広がりつつある。医者に言われているとおりだ。サングラスもせずにゴルフをやりすぎたせいですよ。それに、セーリングも。水面の照り返しでは光線量が二倍にもなるんです、とのこと。でも、当時、そんなこと知られていなかったじゃないの？陽の光は身体に良いと言われていた。日焼けは健康的だと。みんなベビーオイルを塗りたくって、パンケーキみたいに身体を灼いたものだ。小麦色にこんがり灼いたなめらかな脚に白いショートパンツがよく映えたっけ。

黄斑変性《マキュラー・デイジェネレイション》というそうだ。斑点とか汚点とか、どうも背徳的な響きがある。「けがれなき」の反対語。「そりゃあ、堕落した人間《デイジェネレイト》ですから」。当時、診断がくだった直後に、そんな気の利いたセリフをはいたものだ。あの頃は、けなげなジョークを連発していた。

服を着るのも、ボタンがあまりなければ、自分でなんとかできる。二年かそこら前に、手持ちの服からボタンはことごとく引き抜いて、かたっぽしからマジックテープとジッパーに替えた。ジッパーは、先端にストッパーがついている物なら問題ない。右のなんとかを、左のなんとかに挿しいれて引きあげるタイプのやつは、もはや手に負えない。

髪の毛をなでつけ、乱れはないか探る。〈アンブロージア荘〉には、専属の美容師のいるヘアサロンがあって（神の思召しに感謝）、髪の毛の手入れは、そこのサーシャにまかせている。朝の身支度でいちばんやっかいなのは、顔だ。鏡に映して確かめる気にはなれない。むかし、インターネットのアカウントに自分の写真をアップしていないと、のっぺらぼうの顔形が出てきたが、まるであんな風に見えるのだ。そんなわけで、眉をペンシルで描くとか、マスカラを塗るなどは望むべくもなく、口紅を引くのもほぼ無理。楽観的な気分の日には、目が見えなくても、口紅ぐらい引けると思いこもうとする。今日こそ、やってみるべき？　きっとピエロみたいになってしまうだろう。とはいえ、そうなったところで、だれが気にする？

いや、自分は気にするし。それに、もしかしたらトバイアスも。ホームの職員たちも、べつな意味で気にするかも。気がふれたように見えれば、本当に気がふれたように扱われる可能性が高い。じゃあ、やはり口紅はやめとこう。

いつもの場所にコロンの瓶を探り当てると――清掃係には、決してなにも動かさないよう、厳しく言ってある――、両耳の後ろに少しつける。「アター・オブ・ローズ〔ローズオイル〕」だそうだが、べつな香りのアンダートーンがある。シトラスの。ウィルマは深く息を吸う。やれやれ、ありがたい、嗅覚をなくす年寄りもいるが、鼻はまだ利くようだ。鼻が利かなくなると、とたんに食欲が失せ、どんどん縮んで死んでしまう。

振り向いて、自分の、というか、そこに映っているだれかの姿をとらえようとする。晩年の実母に、面食らうほどよく似た女。白髪や、ティッシュのように皺々の肌や……。自分の場合、目の玉が脇に寄っているので、いたずらな感じに見えるだろう。もしかしたら、ぐれた妖精みたいに邪悪な感じがするかも。やぶ睨みだと、真正面から向かいあうという誠実みに欠ける。それは、二度ととりもどせないことの一つなのだ。

そら、トバイアスがやって来た。時間には几帳面な人だ。朝食は毎日、一緒にとる。彼は必ずドアをノックする。礼儀正しい紳士を自認しているから。レディの私室に入る前の待ち時間は——トバイアスいわく——相手の男がベッドの下にすべりこめる程度は取るべし。とくに妻となれば、体面を保たねばならない。トバイアスは何人かの妻との生活を経験している。どれもこれも浮気者だったとかで、でも、ほかの男をその気にさせない女性には敬意をもてそうにないので、もう恨みには思っていないとのこと。妻たちには、自分が知っているということを知らせず、巧みに自分のもとにとり返し、妻からの崇拝をとり戻してから、いきなり、なんの説明もなく、家を追いだしたという。だって、むこうを責めたてて自分を貶めることはないだろう？　きっぱりドアを閉めてやるほうが、面子も立つ。妻たちの扱いはこれに限るね。

とはいえ、相手が愛人の場合は、こみあげる感情に囚われやすいという。嫉妬と屈辱感による猜疑心に駆られた男は、えてしてノックもせずに突撃し、流血沙汰になったりする。その場で、ナイフや素手で襲いかかったり、日を改めて決闘まがいのことをやったり。

「だれか殺したことがあるの？」彼が縷々述懐する途中で訊いてみたことがある。

「わたしは口が堅い」トバイアスはおごそかに答えた。「でも、ワインボトルというのは

――ワインがいっぱいに入った状態なら――こめかみにうまく当たれば、脳天を砕く威力がある。ちなみに、わたしは射撃の名手だ」

ウィルマはひたすら口を閉じておいた。自分にはトバイアスのことは見えないが、彼のほうはこちらが見えるのだから、嫌味な笑いなど浮かべたら傷つくだろう。この手のディテールというのは、いまはなき金色のチョコレートボックスのようなもので、一種のロココだとウィルマは思っている。装飾過多。トバイアスの作り話だろう。ぜんぶがぜんぶではないが、金切り声をあげるこってりしたオペレッタや、そのむかし流行ったヨーロッパのロマンス小説や、ダンディな叔父さんたちの思い出話から、ちょいちょい借りているんだろう。ナイーヴで柔和な北米の女性であるウィルマからすれば、自分はデカダンで、グラマラスで、たいへんな遊び人に見えると思っているに違いない。自分がこんなことを話せば、鵜呑みにするだろ、と。ひょっとして、自分でも信じちゃっているのかも。

「どうぞ」ウィルマはようやく返答する。黒いしみのようなものがドアロにあらわれる。横目でそれをとらえると、くんくん匂いを嗅ぐ。間違いなくトバイアスだ。アフターシェイブローションの匂いでわかる。思い違いでなければ、〈ブルート〉だろう。もしや視力が衰えるにつれて、嗅覚は鋭くなっている？　それはないだろうが、そう考えると慰めになる。「トバイアス、今朝も会えてなにより」ウィルマは挨拶する。

「やあ、今日も輝いてるね」トバイアスが言う。近づいてくると、かさかさした薄い唇で、頬にキスをしてくる。なんだかちくちくする。まだ髭を剃っていないのか。〈ブルート〉だけすりこんできたのか。わたしと同様、自分の体臭を気にしているんだろう。〈アンブロージア〉の住人たちが食堂に集まると、老いゆく肉体のつんと饐《す》えたような臭いが鼻につく。何重に香水をつけようと、その底にはゆっくりと朽ちていく肉体の臭いがあり、それが否応なく漏れでてくる。女性は繊細なフローラルの香り、男性は爽やかなスパイスの香り。それぞれの中では、咲き誇るバラの花、はたまた、ぶっきらぼうな海賊のイメージが、いまだ大切に守られているのだ。

「熟睡できたならいいけど」ウィルマは話しかける。

「すごい夢を見たよ！」トバイアスは言う。「紫色なんだ。藤色というか。やけに色っぽかった。音楽つきでね」

この人はしょっちゅう「やけに色っぽい」夢を見る。「良い終わり方の夢ならいいけど？」ウィルマは言う。今日は、「いいけど」を使いすぎだ。

「あまり良くはなかったね」トバイアスは答える。「人殺しをするんだ。そこで目が覚めた。さて、今日はなにを食べようか？　オート系にする、それとも、ブラン系？」ウィルマがいつも食べるドライシリアルの名前を、彼は決して口にしない。そういう代物は陳腐だと思っているのだ。じきに、ここには美味しいクロワッサンがないことについて、あるいは、クロワッサンそのものがないことについて、ひとくさり述べるだろう。

「好きなものをどうぞ」ウィルマは言う。「わたしはミックスにする」ブランは腸の働きを良くするし、オートはコレステロール対策。まあ、これに関して専門家の意見はころころ変わるけど。トバイアスがごそごそやっている音。この部屋の狭いキチネットは、彼も勝手知ったるもの。どの箱がどこにあるか心得ている。〈アンブロージア〉では、昼食と夕食は食堂で提供されるが、朝食は各自の部屋でとることになっている。ただし、それは〈早期介護生活棟〉の入所者の場合。これが、〈高度生活棟〉になると違ってくるらしい。具体的にどう違うのかは想像したくもない。

皿やカトラリーのぶつかる音が聞こえてくる。トバイアスが窓辺の小さなテーブルに朝食のセッティングをしているんだろう。四角い朝の光を背景に、彼のシルエットが黒っぽく浮かびあがっている。

「ミルクも出すわね」ウィルマは言う。少なくとも、それぐらいは自分でできる。ミニ冷蔵庫の扉をあけ、ラミネート加工のひんやりした細長い牛乳パックを探りあて、こぼさずにテーブルまで運ぶ。

「よしきた」トバイアスが言う。つぎは彼がコーヒー豆を挽く段で、小さな丸鋸がまわるような音がする。手動のコーヒーミルで挽くほうがはるかに良いという彼の講話は、今日は出ない。若かりし頃は、真鍮のハンドルがついた赤いミルで、毎日挽いたものだ、というやつ。おおかた、彼のお母さんの若かりし頃の話では。どこかのだれかの若かりし頃か。真鍮の把手がついたそんな赤いミルは、ウィルマにもなじみがあった。以前は自分でも持っていた気がするけど、それは気がするだけだろう。なのに、喪失感がある。架空の赤いミルは自分の所持品の一部と化していた。実際にむかし持っていた物たちにまじって。

「卵もないとね」トバイアスが言う。卵を食べる日もあるが、前回はちょっとした修羅場になった。トバイアスが卵を茹でてくれたのだが、茹で時間が足りず、ウィルマは自分の卵をぐしゃっとつぶして、服の前を黄身だらけにしてしまった。卵の殻の上部を剝くというのは、精密作業だ。もういまの自分には、スプーンを狙ったところにぴたりと持っていくことができない。つぎは、オムレツを提案してみようか。トバイアスの料理の腕では無理かもしれないけど。一つ一つ、手順を指示すればできるかも？　いやいや、危険すぎる。火傷なんかされたくないし。電子レンジで作れるものならどうだろう。フレンチトーストみたいなもの。チーズ・ストラータ［グラタンに似たオーブン料理］とか。家族がいる頃は、よく作ったものだけど、レシピをどうやって探す？　見つけたところで、どうやって読む？　最近はオーディオ・レシピもあるかもしれない。

　ふたりはテーブルについて、シリアルを咀嚼する。ぼそぼそして燃え殻のようで、噛むのにえらい時間がかかる。頭の中に響くこの音を喩えるなら、とウィルマは思う。新雪をさくさく踏むような、発泡スチロールの梱包材がこすれるような音。もっと柔らかい穀類に切り替えるべきかもしれない。インスタントのお粥とか。とはいえ、そんな単語を口に出しただけで、トバイアスに軽蔑されかねない。インスタントの物はなんでもばかにする。じゃ、バナナは。そうだ、バナナをためしてみよう。あれは木だか草《プラント》だか茂み《ブッシュ》だかに生《な》るんでしょ［banana plant はバショウのこと。bush banana はオーストラリアでアボリジニに食用にされる植物］。バナナなら、彼も文句を言えないはずだ。

「この食べ物、どうして円形にするんだろう？」トバイアスがこう問うのは初めてではない。「このオートなんとかってもの」

「Oの形でしょ」ウィルマは言う。「OatのOよ。一種のシャレ」朝日を背にして、トバイアスが黒いしみのような頭を横に振るのが見える。

「やはり、クロワッサンのほうが好いなあ」トバイアスは言う。「あれも、ものの形を象っている。三日月形だ。ムーア人〔ここではイスラム教徒の意〕がウィーンを陥落しかけた時代に端を発する。理由はわからないが……」そこで彼は言葉を切り、「門のあたりがなんだか騒がしいな」と言う。

　ウィルマは双眼鏡を持っている。バードウォッチングにと言ってアリスンが送ってきたものだが、これまでどうにか見つけられた鳥といったらムクドリぐらいで、いまや無用の長物と化している。もうひとりの娘が送ってくるのは、たいていスリッパだ。スリッパばかり、ゲップが出るほどある。息子が送ってくるのは葉書。もはや母には手書きの文字が読めないという事実を理解していないらしい。

　ウィルマはいつも双眼鏡を窓台に置いており、これをトバイアスが駆使して、窓から敷地内のようすを観察する。カーヴした車道《くるまみち》、灌木をきれいに刈りこんだ芝生――三年前にここに来たときに見た記憶が、ウィルマの眼裏《まなうら》によみがえる――、噴水には有名なベルギーの彫像のレプリカが据えられ、天使の顔をした裸んぼうの男児が石造りの水盤におしっこをしている。煉瓦の高い塀。頭上にアーチを戴き、陰鬱な顔つきのライオンの石像が目をひく堂々たる正門。〈アンブロージア〉もかつては、田園に建つお屋敷だったのだ。人々がお屋敷を建て、田園なんてものがあった時代の話だけど。そういう場でなら、二頭のライオンも似つかわしい。

　毎日の人の出入りぐらいで、とくになにも観察されない日もある。日ごと面会者がやってきて――トバイアスは〝一般人〟と呼ぶ――訪問者用の駐車場からきびきびした足取りで正面玄関に向かっていく。ベゴニアやゼラニウムの鉢を提げ、むずかる幼い孫の手を引っ張り、さも楽し気にふるまいながら、この金のあるジジババとの時間をできるかぎり速やかに終わらせてしまおうと思っている。職員たちの出入りもある。医療関係者、調理・清掃関係者はどちらもこの正門から入ってきて、職員用駐車場にまわり、横手の職員用出入り口に向かう。食料品や洗濯したリネン類、それから、後ろめたさを抱えた家族が注文したフラワーアレンジメントなどを積んだ、おしゃれなペイントのヴァンが出入りすることもある。ごみ収集車のようなステキ度の低い車両には、格下の裏門が専用にある。

たまには、ドラマが展開する。何重もの警備をかいくぐって、〈高度生活棟〉の居住者が棟を脱走し、パジャマのままや半裸でそのへんをあてもなくうろつき、あっちこっちで立小便——噴水の天使像なら歓迎されるが、人間の老人にはあるまじき行為——をやらかし、この徘徊老人を包囲して、中に連れもどそうという、穏やかながら手際のよい追跡劇が目撃されたりする。男性ばかりではない。女性の場合もあるが、脱走劇においては、おおむね男性がリードしているようだ。

ときには救急車が到着し、二人組の救急隊員が医療器具を抱えて駆けこんでいき——「戦場さながらだ」と、トバイアスはコメントしたことがあるが、ウィルマの知るかぎり、彼はどんな戦争にも行ったことがないので、そういう映画でも思いだしていたんだろう——、しばらくしてストレッチャーにだれかを載せて、もっとのんびりした足取りで出てくることもある。ここから見るかぎり区別がつかないな、とトバイアスは双眼鏡を覗きながら言う。生きてるんだか、死んでるんだか。「まあ、そばに寄ってもわからんだろうがね」トバイアスは縁起でもない冗談をひと言添えることで有名だ。

「なにごと?」ウィルマは双眼鏡を覗くトバイアスに訊く。「また救急車?」サイレンの音はしなかった。それは確かだ。耳はまだよく聞こえる。わが身の視覚障害がじつに恨めしくなるのは、こういう時なのだ。自分の目で見たい。トバイアスの解説は信用できない。ときどきこちらに伏せていることがある気がする。あなたを守るためだとか、彼は言っているけど、そんなふうに守られたくない。

ウィルマの苛立ちに反応したのだろう、小さな男たちが窓台の上にわらわらと集まってきて密集陣形を組む。女性はいないので、分列行進というべきか。小さな人たちの社会は保守的のようだ。女性は行進には参加させない。いまも服の色は緑色だが、もっと深い緑で、さっきのようなお祭りムードではない。最前列の人々は実戦用の金属ヘルメットをかぶっている。その後ろの横列は、もっと格式ばった制服を着て、金の縁取りのケープに、緑の毛皮の帽子をかぶっている。あとからミニチュア馬も登場して、このパレードにくわわるだろうか? それが世の決まりだけど。

トバイアスはすぐに答えない。間をおいてこう言う。「いや、救急車は来てない。ピケ隊みたいなものかな。組織化されているようだ」

「ストライキじゃないの」ウィルマは言う。とはいえ、〈アンブロージア荘〉の職員のだれがストなんかするだろう? たしかに清掃員には充分すぎる理由がある。給料が労働に見合っていない。でも、いちばんやりそうにない。最悪、違法になるし、良くても、賠償沙汰になるだろう。

「いや、違う」トバイアスは答える。「ストライキじゃないと思う。ここの警備員が三人出ていって、彼らと話している。おまわりも一人いるよ。いや、二人」

トバイアスが「おまわり」などという俗語を使うと、ウィルマはぎょっとする。彼の言語基準の調和を乱すような言葉だから。ふだんはもっともっと窮屈で考えぬかれた言葉遣いをする人だ。まあ、「おまわり」なんて死語みたいなものだから、使っていいことにしているのかも。いつかは「合点承知の助」と言っていたし、またべつなときは「ドロンする」も使っていた。たぶん、読んだ本から拾ってきたんだろう。埃臭い古本の殺人ミステリかなにかから。そんなトバイアスをばかにするなんて、ウィルマはなにさま？　いまやネットをうろつくこともできないんだから、世の言葉の流行りすたりもわからないくせに。実社会の人々、若い人たちの言葉。もっとも、以前だって、ネットに深入りしていたわけじゃないけど。書き込みなんかはやったことがない。いわゆる潜伏者《ラーカー》［読むだけのユーザー］で、ちょっとコツが摑めてきたかなというところで、目が見えなくなりだした。

一度、夫にこう言ったことがある――まだ彼が生きている頃の話だ。夫の死後も話しかけつづけたあの長い長い悪夢のような哀悼の日々ではなく――わたし、墓碑には〝潜伏者〟と彫ってもらおうかな。だって、わたしは人生の大半を、ただ眺めて過ごしてきたでしょ？

いまでこそ、そんなふうに感じるけど、実はあのときはそう思っていなかった。あれやこれやで、いつも忙しくしていたから。歴史学を専攻していた――結婚するまでの腰掛けで研究するのに安全な分野——が、現時点、役立っていることなど欠片もない。なにしろ、なに一つ思いだせないんだから。セックスの最中に死んだ政治指導者三名。そう、それぞれ。チンギス・ハーン、ジョルジュ・クレマンソー、あとだれだっけ？　そのうち思いだすだろう。

「その人たち、なにをしてるの？」ウィルマは尋ねる。窓台の上を行進していた人たちは右手に向かっていたが、急にくるりと向きを変え、速足《クイックステップ》で左手へ。いつのまにか槍を持っていて、切っ先がきらりと光る。太鼓を持っている人もいる。そちらに気をとられすぎないようにと思うが、こんなに精密で具体的な細部が見えるというのは、たいへんな喜びなのだ。でも、トバイアスは自分に百パーセント関心が向いていないと気取ると、不機嫌になる。ウィルマはもやっとした単色の現実に、無理やり意識をもどす。「建物の中まで入ってきそう？」

「ぼさっと突っ立ってるだけだ」トバイアスは言う。「ちんたらしてる」と、不愉快げに付け足す。「これだから、若者ってやつは」若者はことごとく怠け者のごくつぶしであり、職を見つけるべし、という意見の持ち主だ。彼らの世代には、見つけようにも見つけられる職がないという事実がピンとこない。職がないなら、作りだせばいい、と言うのだ。

「何人ぐらいいるの？」ウィルマは尋ねる。一ダースかそこらなら、心配いらないだろう。

「ざっと五十人かな」トバイアスは言う。「プラカードを持っている。おまわりがじゃない、連中のほうが。あっ、〈リネンズ・フォー・ライフ〉のヴァンを止めにいった。見て、ヴァンの前に立ちふさがっている」

ウィルマの目が見えないのを忘れているようだ。「プラカードにはなんて書いてあるの?」リネン類を運ぶヴァンを止めるとは、思いやりあふれる行為ではない。今日はベッドのリネン交換の日なのに。リネン類の追加サービスやゴムシートの必要がない入居者にとっては。一方、〈高度生活棟〉には、もっと頻繁な交換スケジュールが組まれている。聞くところによると、二日に一度。〈アンブロージア荘〉の料金は安くない。大切なジジババの体に潰瘍性の発疹でも出たら、ご親族は穏やかではないだろう。高額料金なりのことはしてもらいますよ。少なくとも、そう主張しているが、彼らが本当に望んでいるのは、自分たちの責任外で、化石のような老いぼれたちがさっさとお終いになってくれることではないか。そうなれば、きれいに後始末をして、純資産の残り——すなわち、遺産、形見、余り物——をかき集め、わたしはこれを受けとるに値すると自分に言い聞かせる。

「赤ん坊の絵が描かれたプラカードもある」トバイアスが言う。「ふっくらした赤ん坊がにこにこ笑っている。〈退場しろ〉と書かれたのもあるね」

「退場しろ?」ウィルマは訊く。「赤ちゃんたちに言ってるの? どういう意味? 産院じゃあるまいし」むしろその逆の場所でしょうに。ウィルマは意地悪なことを考える。ここは人生の出口であって、入口じゃない。ところが、トバイアスからは反応がない。

「あっ、おまわりがヴァンを通してやってる」彼は言う。

それは、けっこう。ウィルマは思う。みんなのためにシーツ交換を。わたしたちがひどく臭わないように。

トバイアスは午前中の昼寝をするため部屋に帰っていき――また午《ひる》ごろここに寄って、昼食をとりに食堂へ連れていってくれるはず――ウィルマはラジオをつけようとして何度か空振りをし、過ってチーズボードを床にたたき落としたりしてから、キチネットに置いてあるそれをやっと探りあて、スイッチを入れる。視力が低下している人向けに設計されたラジオで、電源のオン・オフも、ダイヤルを合わせるのも、ボタンを押すだけででき、摑みやすいようにビニールカバー――防水性でライムグリーンの――が掛かっている。これもまた、遠い西海岸に住むアリスンが、母に充分なことをしてやれていないのを気に病んで送ってきてくれたもの。彼女としては、なにやらはっきりしない問題を抱えたティーンエイジャーの双子の世話と、大手国際会計事務所での重責がなければ、もっと面会にいけるのに、と言っている。今日はあとで電話して、母はまだ生きていると念押ししてやらなくちゃ。そうやって電話をするたび、双子もおばあちゃんにご挨拶させられる。ふたりにとっては、退屈きわまりない通話だろう。まずもってこっちが退屈なんだから。

さっきのストライキだかなんだかも、ローカルニュースでとりあげられるだろう。朝食の洗い物をしながら聴けばいい。洗い物はゆっくりやれば、それなりにこなせる。グラスなどを割った場合は、インターフォンで〈サービス部〉に連絡し、ウィルマ担当の清掃係カーチャを呼びだして、到着を待たねばならない。彼女が終始、スラブ語のアクセントで嘆いたり、舌打ちしたりしながら、かけらを掃き集めてくれる。ガラスの破片は思いのほか尖っているし、怪我の危険があるのに自分で片づけるのは賢明ではない。バスルームのどの抽斗にバンドエイドをしまったか、すぐに思いだせないんだから、とくに。

それに、床に血だまりなんかあったら、管理部に誤解をあたえかねない。身の回りのことは自分でできると言っても、疑いの目で見てくるだろう。すきあらば、ウィルマを〈高度生活棟〉にねじこんで、持参品の調度類や高級陶器や銀器を奪いとり、売り飛ばして利鞘を稼ごうともくろんでいるのだ。入所時に、そういう契約書にサインさせられている。それがここへの入所の代価であり、安泰と安全の代償というわけだ。お荷物にならないための代償。ウィルマは上等なアンティーク品を二つだけ、持ちこんでいた。小さな執筆机と鏡台――かつての家庭の最後の形見。残りはすべて三人の子どもたちに分けてしまった。彼女たちにはそんな骨董家具は使い道もない――そもそも趣味じゃない――し、間違いなく地下セラーに押しこめてあるのだろうけど、恭しく礼は言ってくれた。

ラジオからアップテンポのテーマ曲が流れ、男性と女性のキャスターが軽く雑談を交わし、もう一曲音楽、そして天気予報。北部では熱波、西では洪水、またもやトルネードの恐れ。ハリケーンが一つ、ニューオーリンズ方面に向かっており、もう一つは東部沿岸を直撃中。六月には例年のことだ。ところが、インドでは正反対のことが起きている。モンスーンによる降雨がなく、飢饉に襲われる恐れがあると。オーストラリアはいまも旱魃に苦しんでいるが、ケアンズは大洪水に見舞われ、クロコダイルたちが街に侵出しているとのこと。アリゾナ州や、ポーランドや、ギリシャでも、森林火災が起きている。とはいえ、このあたりはお天気も良好。絶好の海水浴、日光浴びよりです。どうぞ日灼け止めを忘れずに。夕方には、降水の予報が出ていますのでご注意ください。それでは、良い一日を！

さて、ヘッドラインニュースです。一つ目は、ウズベキスタンでの政権転覆。二つ目は、デンヴァーのショッピングモールでの銃乱射事件。犯人は幻覚症状があったに違いなく、発砲後、狙撃手によって射殺された。三つ目は――ここで、ウィルマは耳をそばだてる――シカゴの街はずれにある老人ホームが、乳児の仮面を着けた暴徒たちに放火された。その後、ジョージア州サヴァナ近郊で同様の二件目の放火、さらにオハイオ州アクロンで三件目の放火が起きた。これら老人ホームの一つは州営だが、あとの二つは独自の警備体制をそなえた私立施設であり、入居者たち――そのうち何名かはかりっと揚げられてしまったようだが――は貧困層ではない。

これは偶然の一致ではないと、コメンテーターは述べる。連続放火事件だ。「アルテン」と名乗るグループがウェブサイトで犯行声明を出しており、現在、警察当局がこのサイトのアカウント所持者を割り出し中だという。亡くなった高齢者の遺族らは、当然ながら――と、ニュースキャスターは言う――ショックを受けています。涙ながらにしどろもどろの応答をする遺族へのインタビューが流される。ウィルマはラジオのスイッチを切る。〈アンブロージア荘〉の門外での集会には言及がなかったが、おそらく数に入れるには規模が小さく、暴力沙汰もなかったからだろう。

アルテン。たしか、そんな名前だった。綴りは言わなかった。トバイアスに、テレビのニュースを見てもらって、続報を知らせてもらおう。本人に言わせると、テレビニュースを見るのは嫌いらしいが、欠かさず見ているから。電子レンジ近辺で繰り広げられている小さな人たちの式典――ピンクとオレンジが基調で、ふりふりのフリル、花を鏤《ちりば》めてグロテスクに盛りあがったかつら――は無視して、ウィルマはベッドに横になり、午前中の昼寝をする。以前は昼寝なんて大嫌いだったし、いまも嫌いだ。なにひとつ逃したくない。とはいえ、いまでは昼寝をしないと夜までもたないのだ。

トバイアスにつれられて、食堂へと廊下を歩いていく。本日のランチは二巡目。トバイアスは午後一時より前に昼食をとるのは不粋だと思っている。いつもより歩調が速いので、速度を落としてほしいと頼む。「お安いご用だとも、ディア・レディ」と、ウィルマの肘をぎゅっと握りながら言う。彼はいつもここを摑んで方向を操作する。一度は、ウィルマの腰に手をまわしてみたこともあるが――ウエストなんてない年寄りが多いが、ウィルマにはまだ多少ある――その体勢だと、トバイアスがバランスをとれず、ふたりしてすっころびそうになった。彼は背が高くないし、人工股関節を着けているので、慎重にやらないとバランスをくずす。

ウィルマは彼の容姿を知らない。少なくとも、現時点の容姿は。良いようにイメージを塗り替えているかもしれない。実物より若く、皺が少なく、もっと機敏で、頭髪も多め。「報告することがたくさんあるんだ」トバイアスは言う。耳に口を近づけすぎだ。聴覚は正常なんだから、そんなに怒鳴らなくていい。「聞いたところ、ストライキではないらしい。例の若者たちのことだよ。まだ引き下がらない。それどころか、数が増えている」そんな展開を前に、トバイアスは活き活きしている。鼻歌でも出そうな感じ。

食堂では、ウィルマをエスコートして椅子を引き、腰をおろす絶妙のタイミングで椅子を押しもどしてくれる。失われかけた技ね、とウィルマは思う。レディの椅子を押すこの優雅な動き。馬の蹄鉄を打つとか、矢を矧《は》ぐとかいう技術と同じで。さて、トバイアスも対面に座ったらしく、鳥の子色の壁紙をバックにぼんやりした人形《ひとがた》があらわれる。ウィルマは顔を横に向け、黒い瞳をじっと凝らした彼がどんな表情をしているのか、なんとなく感じとる。そう、記憶の中の彼はいつもひたむきな目をしている。

「今日のメニューはなに?」ウィルマは尋ねる。食事のたびに、献立が印刷された紙が配られる。インチキな紋章のエンボス入り。なめらかなクリーム色の紙で、大昔の上演プログラムみたいだ。いまのプログラムときたら、ぺらぺらの紙に、広告がひしめきあっているけど。

「マッシュルームスープと……」と、トバイアスは読む。ふだんなら、〝本日のお料理〟を品よく貶しつつチョイスをとくと考え、そうしながら、昔日の美食の饗宴を回顧し、近頃はまともな料理人がいない、とくに子牛肉の調理がなっとらんなどと一席ぶつのだけど、今日はそれらの手順はぜんぶすっ飛ばす。「探りを入れてみたんだ」トバイアスはそう切りだす。「〈アクティビティ・センター〉でね。ちょっとうろついてみたよ」

要は、コンピュータを使ってネットで情報を漁ったという意味だ。〈アンブロージア〉では、個人のパソコンの持ち込みは許可されていない。公式見解では、施設のシステム環境が追いつかないため、とされている。本当はこういう理由ではないかと、ウィルマは疑っている。女性たちはオンライン詐欺師に引っかかり、不適切な恋愛を始めて、お金をむしりとられ、男性はポルノサイトに吸いこまれ、熱くなりすぎて心臓発作を起こし、その結果、男性入居者のことは職員がもっと注意深く監視すべきだったとして、遺族が〈アンブロージア荘〉を訴えてくる、といった展開を危惧しているのだ。

そういうわけで、パソコンの持ち込みは不可である。しかし〈アクティビティ・センター〉で使うことができる。ここの端末は、思春期前の子たちへの対策のように、アクセス制限をかけられるのだ。施設の管理部署は中毒性の高いパソコン画面から、なんとか入居者の興味を逸らそうと工夫している。パソコンより、濡れ粘土をこねて工芸をしたり、三角や四角のボール紙を組み合わせて模様を作ったり、あるいは、認知症の発症を遅らせるというブリッジをやったりしてほしい、と。とはいえ、トバイアスいわく、ブリッジの効用に関しては、どんなもんだろうね？　以前はブリッジに入れ込んでいたウィルマとしては、コメントを控えたい。

夕食時には、専属セラピストのショシャーナが巡回し、だれしもアートを通じた自己表現を必要としているのだと、入居者にうるさく説教をする。フィンガーペインティングだか、パスタネックレス作りだかなんだか、明日また陽が昇るまでこの地上に留まるよすがとしてショシャーナ直伝のすてきな企画に押しこまれそうになると、ウィルマは視力低下を理由に断る。一度はショシャーナも、盲目の陶芸家たちの例を引き合いに出して、派手なことを言ってきた。その陶芸家の何人かはみごとな手びねりの陶器で国際的な評価を得ているのですよ。ウィルマ、あなたもトライして自分の地平を広げたいと思いませんか？ウィルマはにべもなく拒絶した。「老いたる犬に、新しい芸を教えこむなというでしょ」と、丈夫な入れ歯を見せてにっこり笑ってやった。

ネットのポルノサイトに関していえば、助平者の一部は巧いことスマホを持ちこんで、その手の見世物を好き放題に見ているとか。これはトバイアスからの情報。ウィルマとうわさ話をしていないときも、だれかしら捕まえてうわさ話に余念がない。もっとも、自分はあんな安っぽくて不粋なスマホ・ポルノは見る気になれないと嘯《うそぶ》いている。映しだされる女たちが小さすぎる。いくらなんでも、限界があるよ、と彼は言うのだ。女性の体をどんどん縮めていくと、乳腺のある蟻んこみたいに見えてくるんだ。ウィルマはこの手の禁欲ネタは話半分で聞くことにしているが、トバイアスの言い分もまるきり嘘ではないのだろう。たかがスマホが提供してくれるどんな代物より、自分で妄想する一大ロマンスのほうがむらむらするのかもしれない。なんたって、自分が主役という利点まであるのだし。

「ほかにはどんなことがわかった?」ウィルマは尋ねる。ふたりのまわりから聞こえてくるのは、スプーンが磁器に当たる音、かすれがちな声の——虫の羽音のような——ささやき。

「あいつら、自分たちの番だと言うんだ」トバイアスはそう答える。「だから、〈われらに出番を〉というプラカードを掲げている」

「なるほどね」ウィルマは言う。理解の光が射してきた。アルテンではなく、われら《アワ》に出番《ターン》をだ。聞き違えていた。「なにが自分たちの番だと言うの?」

「人生、だよ。連中の一人がテレビのニュースでしゃべっているのを聞いた。当然ながら、あいつらはそこら中でインタビューを受けている。われわれの出番はもう終わりだとさ。こういう年寄りの出番は。われわれが社会をめちゃくちゃにしていると。その強欲やなにかのせいで、この地球は滅びるんだとか」

「一理あるかも」ウィルマは言う。「確かにめちゃくちゃにしてる。まあ、わざとじゃないけど」

「たんなる社会主義者だね、あれは」トバイアスは言う。彼は社会主義者にぼんやりしたご異論をもっている。自分にとって気に入らない相手はみんな隠れ社会主義者らしい。「怠惰な社会主義者だよ。他人が働いて得たものを、いつでもかっさらおうとする」

トバイアスがどうやってひと財産つくったのか、ウィルマはよくわかっていない。元妻が何人もいるばかりか、〈アンブロージア荘〉でもそうとう広いスイートルームに入っているのだ。ひょっとして、怪しげな事業ばかりやっている国々で怪しげな事業契約を結んでいたんじゃないかと思うが、過去の経済活動について、彼は決して口を割らない。せいぜい話すとしても、輸出入の会社をいくつか所有し、手堅い投資をしてきたということぐらいだ。とはいえ、金持ちと言えるほどの者ではない、と。みずから金持ちを自称する金持ちはいないけれど。金持ちはみんな「暮らしに不自由はない」と言うのだ。

ウィルマ自身も、夫が生きている頃は、暮らしに不自由はなかった。いまもそう言えるだろう。最近はもう自分の蓄えにはあまり関心を払っていない。個人向けの資産運用会社にまかせてある。アリスンも西海岸から、最大限、目を光らせているし。いまのところ、〈アンブロージア荘〉から蹴りだされずにいるのだから、請求額はちゃんと払われているんだろう。

「それで、わたしたちにどうしろと言うの?」ウィルマは尖り声を出さないように気をつける。「あのプラカードを持った人たちは。やれやれ、わたしたちにどうにか仕様があるとでも?」

「場所を空けろということだよ。どいてほしいんだ。そう書かれたプラカードもある。〈老いぼれはどけ〉と」

「つまり、死ねということ?」ウィルマは言う。「ところで、今日は、ロールパンはあるの?」ときどき、とびきり美味しい〈パーカー・ハウス〉のロールパンが焼きたてで提供されることがある。わが家にいるような気分にさせるサービスで、ここの栄養士たちが七、八十年前の献立を再現すべく想像と工夫を凝らしているのだ。マカロニチーズ、スフレ、カスタード、ライスプディング、ホイップクリームをどっさり載せたジェロー。どれも柔らかく、ぐらつく歯でも難なく食べられるという利点もある。

「いや、ないね」トバイアスが答える。「ロールパンはなし。チキンポットパイが運ばれてくるところだよ」

「その人たち、危険そう?」ウィルマは訊く。

「このあたりはだいじょうぶだろう」トバイアスは言う。「でも、国外では放火したりしている。このグループは国際組織を名乗っているんだ。何百万というメンバーが立ちあがっているとか」

「ふうん、外国では放火なんてしょっちゅうあるじゃない」ウィルマはわざと軽く返す。〝そこまで長生きしたらね〟。むかし歯科医に軽口をたたいた自分の声が聞こえてくる。あんなまじめに取りあわない口調。そんなこととは、この先も無縁に決まっている、と言いたげな。

浅はかだった。ウィルマは自分に言う。それ、希望的観測というのよ。とはいえ、どう考えても脅威を感じられないのも確かだ。少なくとも、門の外に集まったおバカさんたちに対しては。

午後には、トバイアスがお茶をしに押しかけてくる。彼の私室は棟の反対側にある、荘の裏手の景色が一望できるスイートだ。砂利敷きの遊歩道、息切れしやすい老人たちのために点在するパークベンチ、日射しよけになる瀟洒な四阿《ガゼボ》、のんびりゲームができるクロケット場。こういう光景がぜんぶトバイアスの部屋からは見える——と、以前、満足気にこまごまと描写してくれたことがある——が、正門は見えない。彼はその景色を求めて、この部屋に来ているわけだ。

「今日はまた増えたな。百人はいそうだ。お面を着けたのもいる」トバイアスが言う。

「お面って？」ウィルマは興味をひかれる。「ハロウィンみたいな？」頭には、ゴブリンやドラキュラ、きれいなお姫さまや魔女やエルヴィス・プレスリーの仮装が浮かんでいる。「マスクとかお面とか顔を覆うものを着けるのは違法だと思ったけど。公的な集まりでは［たとえば、米国南部のヴァージニア州では集会での着用は禁止されている。ＫＫＫ団対策］」

「いや、ハロウィンのとは違う」トバイアスが答える。「赤ん坊のお面だよ」

「ピンク色の肌の？」ウィルマは言う。かすかに戦慄が走る。赤ちゃんのお面を着けた暴徒たちとは、面妖な。大人サイズの、暴れだすかもしれない赤ちゃんの群れ。抑えが効かない。

小さい人たちが二、三十人、手をつないで踊り、なにかを囲んでいる。たぶんシュガーボウルだろう。トバイアスは紅茶に砂糖を入れるのが好きだ。女性たちはバラの花びらを重ねたようなスカートを穿き、男性たちは青っぽい玉虫色の孔雀の羽根をまとって輝いている。この繊細な造り、この刺繍ときたら！　実物じゃないなんて信じられない。こんなにはっきりと質感があって、こんなに隅々まで細かく作りこまれているのに。

「そう、ピンク色のもいるね」トバイアスが答える。「黄色いのも、茶色いのも」

「どうやら、異人種交流がテーマのようね」ウィルマは言って、こっそりテーブルの向こう側にいるダンサーたちに手を伸ばす。だれか一人、親指と人さし指で、虫みたいにつまんでやれたらいいのに。そうしたら、こちらの存在に気づくかも。蹴ったり嚙んだりしてくるだけかもしれないけど。「その人たち、衣装も赤ちゃんのを着ているの？」オムツも着けていたりして。それとも、スローガンが書かれたロンパース。海賊とかゾンビとか不釣り合いに凶悪な絵のついたヨダレ掛け。そんなのが、むかし大流行りしたものだ。

「いや、お面だけだね」トバイアスは答える。踊るこびとを狙うウィルマの指が空《くう》を摑み、ゆえに非現実のものだときっぱり答えが出れば納得できるのに、決してそうさせてくれない。踊りのラインをゆがませて指をかわす。要は、こちらの存在を認識しているんじゃないか。わかったうえでからかっているんじゃないか。悪戯なこびとたちめ。

なにを、バカなことを。ウィルマは自分に言い聞かせる。これは障害による症状よ。シャルル・ボナール症候群の。充分に解明されているし、同じ疾患をもつ人はたくさんいる。違った、違った、ボネでしょ。ボナールは画家。ほぼ間違いない。いや、ボニヴェールだっけ？

「またヴァンの通行妨害をやってる」トバイアスが言う。「鶏肉の配達車を止めているよ」

産地直送、オーガニックの放し飼い鶏だ。卵も同様。〈バーニーとデイヴのしあわせ母さん鶏〉から届けられる。毎週木曜日に。鶏肉も卵もない状態が長引くと、問題は深刻化しかねない、とウィルマは思う。内部から不満が出る。「こんな生活のために金を払っているんじゃない」、と声があがるだろう。

「警察は来ている？」ウィルマは訊く。

「いや、見当たらないね」トバイアスが答える。

「フロントに問い合わせるべきよ」ウィルマは言う。「苦情を言わないと！　職員が追い払うとかなんとかすべきでしょう、そんな人たち」

「もう問い合わせたよ」と、トバイアス。「こっちと同じで、さっぱり状況がわからないそうだ」


その日の夕食時はいつもより華やいでいる。いつもよりおしゃべりの声がし、食器の音がし、急に甲高い笑い声がする。食堂は人手不足のようだが、ふだんの夜なら、不満の声が高まるところ、今夜はそんな状態でも、ひそかに祝祭的な雰囲気が漂っている。トレイが手から落ち、グラスが砕け、乾杯の声があがる。床にこぼれた氷は見えづらく滑りやすいので気をつけてください、と注意される。みなさん、お尻の骨を折りたくないでしょう？　とマイクを使って呼びかけているのはショシャーナだ。

トバイアスはワインをボトルで注文する。「では、お楽しみを。きみの瞳に乾杯！」と、言ってグラスを合わせる。今夜はトバイアスとふたりではなく、四人がけのテーブルについている。トバイアスが提案し、ウィルマは自分でも意外なことに同意した。数が多いからといって安全保障にはならないが、錯覚にせよ少なくとも安心感はある。何人かで固まっていれば、その未知のなにかを寄せつけずにおけるという。

テーブルを囲んだあとの二人は、ジョー＝アンとノリーンだ。男性がもう一人ほしいところだとウィルマは思うが、この年齢になると、女性と男性の比率は四対一ほどになり、女性が圧倒的に多いのだ。トバイアスによれば、女性のほうがのんべんだらりと長生きするのは、不当なことがあっても男みたいに憤慨しないし、屈辱に甘んじるのがうまいからじゃないかな？　老境というのは渺々《びょうびょう》たる恥辱の日々にほかならないが、そういうものに対してさ。高潔な人間には、こんなのは耐えられないだろう？　パンチのない料理に飽きあきしたり、関節炎がぶり返したりすると、必要な武器さえ手に入れれば、頭を撃ち抜きたくなるよ。誇り高いローマ人みたいに、風呂場で手首をカミソリで切るか。ウィルマが反論すると、トバイアスは「まあまあ」となだめてきて、死ぬ死ぬと言いたがるのはハンガリー人の血なんだ、と弁解する。ハンガリー人の男なんて、みんなこういうことを言うよ。あなただってハンガリー人の男なら、自殺を口にせず一日たりとも過ごせやしないだろう――と、お決まりのジョークを言う――もっとも、実行する者は大していないけどね。

ハンガリー人でも女性はどうしてそうならないの？　ウィルマは何度か尋ねたことがある。女性がバスタブでリストカットしないのはなぜなのか？　トバイアスの場合、同じ質問を繰り返すと、おもしろいことになる。あるときは同じ答え、あるときは違う答えが返ってくるから。その答弁によれば、トバイアスは少なくとも生誕地が三つあり、四つの大学に同時期に通っていたことになる。パスポートもやたらとたくさんある。

「ハンガリー女性は気質が違う」一度はそう答えた。「恋愛にしろ、生きるにしろ、死ぬにしろ、ゲームオーバーになっても気がつかないんだよ。自分の葬儀屋とだっていちゃつくし、なんなら棺桶に土をかける埋葬人ともいちゃつく。どこまでも現役だ」

ジョー＝アンもノリーンもハンガリー人ではないが、鮮やかないちゃつきスキルを展開している。もし手元に羽根の扇でもあったら、それでトバイアスをぽんぽんたたいているだろうし、ブーケを持っていたら、バラのつぼみを投げているだろうし、いまだ足首といえるものがあるなら、ちら見せしているだろう。

ジョー＝アンはスイミングプールでよく見かける。ウィルマはいまも週に二度は何往復か泳ぐようにしているのだ。プールに入るときと出るときに手助けしてもらい、更衣室まで連れていってもらえるなら、まだなんとかこなせる。ノリーンとも、音楽会かなにかのグループ活動で会ったことがあるはずだ。クックッと震えるようなこの鳩型の笑い声には聞き覚えがある。どんな風貌なのかは、ふたりともわからない。顔を横に向けて見たところ、どちらもマゼンタ色の服を着ているようだ。

トバイアスは女性ふたりと新たな出会いをし、不機嫌とは言いがたい。すでにノリーンには「今夜は輝いているね」を言っていたし、ジョー＝アンにも、むかしの自分だったら、夜道でふたりきりになるのは危険だ、みたいなことをほのめかしていた。「若者に知識さえあれば。逆に老人に行動力さえあれば」トバイアスは言う。なんだいまのは、手にキスをした音？　女性ふたりから、くすくす笑いが聞こえる。というか、かつて「くすくす笑い」だったもの。アヒルがガアガア鳴くような、雌鶏がコッコッと鳴くような、息をゼイゼイ喘がすような音。秋の落ち葉に突風が吹いたような音。声帯の衰え。ウィルマはそう思って悲しくなる。肺も縮むし。あらゆるものが干からびる。

目下、クラムチャウダーを食べつつ進行中のいちゃつきについてはどう思う？　やきもちを焼いている？　トバイアスを独占したい？　いや、独り占めしなくていい。そこまで望まない。ものの喩えにしろ、彼と干し草の中を転げまわる［性交渉をもつという意］気にはなれない。なぜって、その気が無いから。ゼロではないけど。とはいえ、気にかけてはもらいたい。というより、むこうにそう思わせたいのか。いまトバイアスは冴えない代役ふたりを相手によろしくやっているようだが。この三人はジェーン・オースティンのどたばたロマンスみたいにジョークを飛ばしあっており、ウィルマはほかに暇つぶしの手段がないので、話を聞くよりなかった。小さな人たちは登場していなかったから。

小さな人たちを呼びだそうとして、「出てらっしゃい」、と心の中で念じる。テーブルの中央にある造花のフラワーアレンジメントの方に、かつて「眼差し」だったものをひたと向ける。この造花をトバイアスは「最上級のできばえ」だなんて言っている。本物と間違えそうだな、と。ウィルマに言えることは、それが黄色いということぐらい。

念じてもなにも起こらない。いかなるこびともあらわれない。自分には、こびとたちを出現させることも、消すこともできないのだ。わたしの脳の産物にほかならないのに、不公平なんじゃないの。

クラムチャウダーのつぎには、牛ひき肉ときのこのグラタンが出て、そのあとにレーズン入りのライスプディングが出る。ウィルマは食べることに集中する。目のすみっこで皿の位置を確認し、昔の蒸気ショベルみたいにフォークで狙いを定めなくてはならない。対象物に近づき、フォークを持つ手を半回転させ、積荷をとらえ、揚重する。この作業は骨が折れる。食事の最後にようやく、スイーツの皿が降りてくる。いつものごとく、ショートブレッドとクッキーバー。一瞬、七、八人の小さなレディたちがフリルのついた生成り色のペチコートを、カンカン娘のスタイルで持ちあげ、絹のストッキングを穿いた脚をちらっと見せるさまが見えるが、彼女たちはたちまちにして、ショートブレッドの姿にもどってしまう。

「外はどうなっていますかね?」三人の間でとびかうお世辞の網の目に寸時できた空隙をついて、ウィルマはすかさず言う。「正門のほうは?」

「やだな」ノリーンが明るく言う。「それを忘れようとしてたのに!」

「そうそう」と、ジョー＝アンも同調する。「気が滅入るばっかりよ。わたしたち、今この時を生きてるんじゃない、ねえ、トバイアス?」

「さあ、ワインと女と歌の夕べ!」ノリーンが言う。「ベリーダンサー、連れといで!」

ふたりは雌鶏みたいにクワックワッと笑う。

意外なことに、トバイアスは笑わない。ウィルマの腕をとってくる。かさかさして、温かく、骨ばった彼の指が包んでくるのを感じる。「さらに集まってきているんだ。状況はわれわれが最初に把握したより深刻だよ、ディア・レディ。甘く見るのは賢明ではない」

「あら、わたしらだって甘く見ちゃいないわよ」ジョー＝アンが陽気な会話のシャボン玉をこわさないような口調で言う。

「知らぬが花って言うしね！」ノリーンが軽く合いの手を入れるが、もはやトバイアスには効き目がない。彼は「スカーレット・ピンパーネル」風の洒落もの貴族の気どりをすて、「マン・オブ・アクション」モードに突入していた。

「われわれは最悪の事態を想定しなくてはならない」彼は言う。「寝首は掻かれまじ。さて、ディア・レディ、そろそろおたくにお送りしよう」

ウィルマは安堵のため息をつく。もどってきてくれたようだ。部屋の前までは送ってくれるだろう。トバイアスはこれを毎晩、時計仕掛けのように律儀におこなう。自分はなにを恐れていたんだろう？　彼に置いていかれ、衆人環視のなか寄る辺もなく、おたおたと手探りで歩いて恥をかき、一方、トバイアスはノリーンとジョー＝アンと一緒にルンルン気分で茂みの間に消えていき、ガゼボで3Pにでも勤しむとか？　あり得ない。警備員があっというまにつまみあげて、〈高度生活棟〉へしょっぴいていくだろう。警備員たちは夜間、懐中電灯とビーグル犬をお供に、施設の敷地内をパトロールしているのだ。

「おたがい支度はいいかな？」トバイアスが訊いてくる。ウィルマは〝おたがい〟と言う彼を好ましく思う。ジョー＝アンとノリーンの出番もここまで。ふたたび、ただの〝あの人たち〟にもどった。トバイアスが肘を支えてくると、ウィルマはそちらに身をもたせ、そうしてふたりは堂々と食堂から退場していくのであった（というイメージをぞんぶんに思い描く）。

「ところで、最悪ってどういうこと？」ウィルマはエレベーターに乗ると、トバイアスに尋ねる。「それに対してどうやって備えるというの？　その人たちだって、ここを焼き払えるとは思わないでしょ！　ここにかぎっては！　警察が阻止するはずよ」

「警察をあてにはできないよ」トバイアスは言う。「もはや、こうなったら」

ウィルマは反論しかけた――警察はわたしたちを護る義務があるはずよ、それが任務なんだから！――が、口をつぐむ。もし警察がそこまで懸念しているなら、もう彼らを逮捕しているはずだ。なのに、手をこまねいている。

「こういう連中は、最初は慎重にやるんだ」トバイアスは言う。「一歩一歩少しずつ。われわれにはまだ少し時間がある。心配せず、よく眠って体力をつけておかなくては。わたしもいろいろ準備は整えている。負けるもんか」

こんなメロドラマから借りてきたようなセリフを聞いて安心するとは妙なものだ。この件はトバイアスが対応してくれる、運命の女神の裏をかく深遠な計画をもって。ちょっと、この人は関節炎持ちのひ弱なじいさんにすぎないのよ。ウィルマは自分をたしなめる。とはいえ、安堵感を得ると同時に慰められたことも確かだ。

部屋の前まで来ると、ふたりは頬にいつもの軽いキスを交わし、ウィルマはトバイアスが足をひきずりながら廊下を遠ざかっていく音に耳を澄ます。自分がいま感じているのは、愛惜の念だろうか？　それとも、昔なつかしいときめきに胸を熱くしているとか？　本当はあの筋張った腕に包まれたいと思っている？　マジックテープとジッパーを開けて肌に触れられ、彼が過去に何百回、何千回と難なくしてのけてきたはずの行為を、過去の亡霊のように、ぎごちなく、節足動物みたいにして繰り返したいと？　いやいや。わたしの方がつらすぎる。無言の比較があるはずだ。チョコレートを試食してまわっている例の色っぽい恋人とか、神々しいバストとか、大理石のような太ももとか。その後にわたしごときとは。

年をとれば、体の問題なんて超越すると思っていた。ウィルマはつぶやく。そういうのは乗り越えた先の、うららかで、肉体とは無縁の世界に昇っていけると。でも、そんな境地に至れるのはエクスタシーのときぐらいだし、エクスタシーに達するには肉体が必要だし。骨も腱もない翼では飛べないということ。あれがなければ、ますます体の重みでおのれの身体機能のなかへ引きずりこまれていくだけだ。若いときのツケを返してやろうと、錆びついて軋む残酷な肉体の歯車たち。

トバイアスの足音が聞こえなくなると、ウィルマは部屋のドアを閉め、就寝前の段取りにとりかかる。まず、靴をスリッパに履きかえる。これはゆっくりやるに限る。それから、服を脱がなくてはならない。マジックテープを一つずつはがし、脱いだ衣類はそれぞれハンガーに多少整えて吊るし、クローゼットにしまう。下着はランドリー籠に入れておく。早すぎることはない。明日はカーチャが回収にくるから。あまり苦もなくおしっこ作業を完遂し、トイレの水を流す。ビタミンサプリその他の錠剤を、たっぷりの水で溶かして流しこむ。食道のあたりで薬が溶けるのは気持ちわるい。窒息死も避けられる。

シャワー室で倒れない予防も必要だ。グリップをしっかり摑み、滑りやすいシャワージェルは使いすぎないように。身体を拭くのは座ってやるのがいちばん。立ったまま足を拭こうとして、多くの老人がご愁傷様になる。そうだ、足の爪を切ってもらうのに、〈サービス部〉に電話して、サロンに予約を頼まないと。これも、もはや自分でできない作業の一つだ。

夕食の間に、もの言わぬだれかによって、ナイトガウンがベッドにそっと置かれ、掛け布団がめくられている。枕には毎晩、チョコレートが一つ。それを手探りで見つけると、アルミホイルを剝き、チョコを貪り食べる。これも、ライバル会社にはない〈アンブロージア荘〉ならではの気づかいです。パンフレットにはそう書かれていた。ご自分を大切になさってください。あなたはそれに相応《ふさわ》しい人です。

翌朝、トバイアスは朝食の時間に遅れてくる。遅いような気がしたので、キチネットの〝おしゃべり時計〟で確かめた。これもアリスンからの贈り物。ボタンを押すと——ボタンが見つかればだけど——小二の子どもに目線を合わせる算数の先生みたいな声で時間を教えてくれる。「八時、三十二分です。八時、三十二分です」。それから八時三十三分になり、八時三十四分になり、ウィルマは一分過ぎるごとに、血圧が上がっていくのを感じる。トバイアスになにかあったのでは？　脳卒中とか、心臓発作とか？　〈アンブロージア荘〉では、そんな事態が毎週のように起きる。いくら資金が潤沢にあっても、そうした発作の予防にはならない。

ようやく、トバイアスがやってくる。「ニュースがあるんだ」と、部屋に入らないうちから切りだしてくる。「〈夜明けのヨガ〉クラスに参加してきたんだけど」

ウィルマは吹きだす。堪えきれなかった。トバイアスがヨガをやる、いや、ヨガの教室にいるというだけで、おかしい。その活動に、なにを選んで着ていったんだろう? トバイアスとスウェットパンツなんて結びつかない。「笑いたくなるのはわかるけどね、ディア・レディ」と、トバイアスは言う。「状況が違えば、わたしがヨガなるものを進んでやることもないだろうさ。しかしね、情報を得るためにわが身を犠牲にしたんだよ。どっちみち、今日のクラスはなかった。インストラクターがだれも来なかったから。だから、わたしはご婦人がたと──雑談をする機会をもった」

ウィルマは一瞬でわれに返り、「インストラクターが来ないって、どうしてまた?」と尋ねる。

「あいつらが正門を封鎖したからだ」という知らせが飛びだす。「だれも中に入れないようにしている」

「警察はなにをしてるの?」それに、〈アンブロージア〉の警備員たちは? いま彼は〝封鎖〟と言った。軽々しいものじゃない。建物を封鎖するには、大がかりな作業が必要だろう。

「警官の姿は見当たらない」トバイアスが言う。

「とにかく入って、座って」ウィルマは言う。「コーヒーでも飲みましょう」

「それがいい」トバイアスが言う。「考えないとね」

ふたりは小さなテーブルにつくと、コーヒーを飲み、オートシリアルを食べる。もうブランの方は切れていて——今後、補充される見込みはほとんどないんだと、ウィルマは気づく。頭の中にジャリジャリと響く音を聞きながら、オートでもありがたく食べなくちゃ、と思う。いまこの時を味わわないといけない。小さな人たちは、今日は興奮ぎみのようで、金銀のスパンコールで全身きらきらさせ、テンポの速いワルツでくるくる回って、華やかなショーを披露してくれていた。しかし、いまは考慮すべきもっと由々しき問題があり、かまっていられない。

「じゃ、だれも外に出さないということ？　封鎖ということは」ウィルマはトバイアスに問いかける。フランス革命について書いたあの本はなんだっけ？　ヴェルサイユ宮殿が封鎖され、王室一家は中に幽閉されて、じりじり右往左往する。

「職員は通している」トバイアスは言う。「職員は出ていくよう、多少命令しているようだ。入居者は出さない。出してはいけない。どうも、そう命じているらしい」

ウィルマは言われたことを考えてみる。つまり、職員は外に出られるが、いったん出たら、再入構できないということだ。「それに、配達のヴァンも通さない、と」質問というより断定のような言い方になった。「鶏肉なんかの配達だけど」

「当然ながら」トバイアスは言う。

「だとすると、わたしたちを餓死させようというわけね」ウィルマは言う。

「どうも、そのようだ」トバイアスは答える。

「変装したらどうかな」ウィルマは言う。「たとえば、その、清掃員に化けて外に出るとか。ムスリムの清掃員だから、なにやら頭にかぶっているわけ」

「尋問されずに通過できるか大いにあやしいね」トバイアスは言う。「年齢的に無理がある。時は汝に足跡を残す」

「けっこう年寄りの清掃員だっているはずでしょ」ウィルマはまだあきらめない。

「程度問題だな」トバイアスは言って、ため息をつく。いや、たんなる息切れか？「でも、絶望するなかれ。方策は考えてある」

べつにわたしは絶望していないと、ウィルマは言いたいが、ややこしいことになりそうなので、言葉をのみこむ。いま感じている、はっきり言葉にできないこれはなんだろう。絶望ではない、まったく違う。希望でもない。ただ、ただ、つぎに起きることを知りたい。間違っても日課どおりにはならないはずだ。


まずは、ウィルマも今後の備えとしてバスタブに水を溜めておくべきだと、トバイアスは主張する。自分の部屋のバスタブはすでに水を張ってきた。早晩、電力の供給が止められ、つぎは水が出なくなるだろう。時間の問題だ。

そう言うと、彼はウィルマのキチネットとミニ冷蔵庫の備蓄をリストアップする。昼食、夕食用の食材や調味料は備えていないから、たいしたものはない。わたしだけじゃなくて、ほかの人たちだって、備えてないでしょう？　昼も夜も調理しないんだから。

「ヨーグルトレーズンなら少しある」ウィルマは言う。「と思う。あと、オリーヴがひと瓶」

トバイアスはふんと鼻を鳴らす。「これっぽっちの食糧じゃ生きていけない」と言って、なにかの入ったボール紙の箱を叱りつけるように振りたてる。彼によると、きのう地階の売店に行って、エナジーバーと、キャラメルポップコーンと、塩炒りナッツをさり気なく買いこんでそなえてあると言う。

「抜け目ないわね！」ウィルマが驚いて言う。

そう、とトバイアス。賢明な行動だった。とはいえ、この程度の非常食では長くはもたない。

「階下《した》の厨房を漁りにいくべきだな。ほかのみんなが同じことを思いつく前に。所内のストアも強奪にあって、つぶしあいになりそうだ。そういう現場を目の当たりにしたことがあるよ」ウィルマは自分も同行したいと思う――押し合いの場でも自分がいれば緩衝材になるかもしれない。だって、この老女を脅威と感じる人はいないだろう？　殺到する群れをふたりして押しのけたら、自分もバッグに食料品をいくらか詰めこんで、部屋に持ち帰ろう――と思ったが、提案するのはやめておいた。同行しても邪魔になるに決まっているから。トバイアスにはやるべき仕事が山積みなんだから、わたしを羊飼いのように逐《お》いたてる余裕はないだろう。

自分も役に立ちたいという気持ちは、トバイアスにも伝わっているようだ。ウィルマの役割については、かなり考えてきたという。今後も部屋に留まって、ニュースに耳を傾けていてほしい。これを〝情報収集〟と彼は呼ぶ。

トバイアスが帰っていくと、ウィルマはキチネットのラジオをつけ、情報収集にそなえる。ニュースを聴いても、すでに知っていることがほとんどだ。〈われらに出番を《アワターン》〉はひとつの運動であり、国際的な広がりを見せており、デモの参加者の表現によれば、「社会にのしかかる寄生的な枯木」または「ベッドの下のホコリ玉」を掃除することを目的とするらしい。

当局の対応はあったとしても散発的なものだった。ほかにもっと重要な案件を抱えている。またもや洪水、またもや燃え広がる森林火災、またもやトルネード、そんなこんなできりきり舞いしているのだ。各省庁の「長」からのコメントがつぎつぎと短く引用される。標的にされている介護施設の方々はパニックに屈せず、街にさまよいでたりしないようお願いしたい。建物外では身の安全は保障できません。カッとなってデモ隊に立ち向かっていった幾人かは生きては帰れなかった。うち一人にいたっては、隊員らの手で八つ裂きにされたという。施設が封鎖された方々はそこに留まってください。事態はまもなく統制されたます。ヘリコプターを配備するかもしれません。状況が不安定なうちは、包囲下に置かれた方々のご家族は決して自分たちで介入しようとしないように。みなさん、警察、保安部隊、あるいは特殊部隊の指示に従ってください。メガフォンを持った人たちです。なにより、いま救助が向かっているということを忘れないで。

それは疑わしいとウィルマは思うが、チャンネルは替えず、ニュースにつづくパネルディスカッションも聴く。番組ホストが各パネリストに、まずご年齢と肩書からお願いしますと言い、ひととおり自己紹介がなされる。学者、三十五歳、専門は社会人類学。エネルギー分野が専門の、四十二歳。経済の専門家、五十六歳。いま起きているこれは暴動の勃

老いぼれを燃やせ

マーガレット・アトウッド

発と言うべきか、高齢者と敬老と家族という概念そのものを破壊するものか、逆に、二十五歳未満の若者が背負わされた苦境、苦悩、ずばり言って、経済的、環境的にむちゃくちゃな現状を思えば、首肯してしかるべきですよ、などと、三人は行きつ戻りつ小理屈をこねまわして直言を避ける。

怒りが渦巻いているんです。そう、だからと言って、社会の最たる弱者がスケープゴートにされるのは、悲しいことですが、こういう成り行きは歴史上前例のないことではないし、かつて多くの社会では——社会人類学者いわく——高齢者は奥ゆかしくお辞儀をして引っこみ、雪原に消えていったり、山間に運ばれて置き去りにされたりして、若者に場所を譲ったものなんだ。しかし、それは村にあまり食糧がなかった時代の話だろう、と経済学者が言う。いま、高齢者層は巨大な雇用を生みだしているわけでね。まあ、そうですが、彼らは社会保険料を食いつぶしてもいますからね。その金の多くの使い道は末期の人々の……ええ、それはまったくそうですが、罪もない人々が命を落としているんですよ。いや、ひと言いわせてもらえば、これはそもそもあなたが〝罪もない〟と言う人たちが原因なわけで、この人たちの中には……いや、きみも正当化するわけではないんだろうが、これは認めてもらわないと……云々。

では、ここでリスナーからの電話をお受けしましょうと、ホストがアナウンスする。

「六十より下のやつらは信用するな」最初に電話がつながったリスナーは言う。スタジオのみんなは一斉に笑う。

二番目の通話者は、こんな問題をどうして軽視できるのか、さっぱり理解できないと言う。ある年代の人たちはこれまで懸命に働いてきて、何十年も税金を払ってきたし、いまも払っているだろうに、こうした状況で政府はなにをやっているのか？　若い世代は投票になんか行かないことを知らないのか？　政府がこの問題にびしっとけりをつけて、いますぐ始末しないなら、こんどの議会選挙の投票でしっぺ返しを食らうぞ。じゃんじゃん監獄にぶちこめ。必要なのはそれだ。

三番目の通話者は、開口一番にこう言う。わたしはいつも投票しているが、それで良い目にあった例しがない。彼はやおら「老いぼれどもは燃やしちまえ」と言いだす。「なんですって」ホストは言う。通話者はわめきはじめている。「聞こえたか？　老いぼれを燃やせだ！　聞こえたか！」というところで電話は切られ、アップビートの音楽が流れる。

ウィルマはラジオの電源を切る。今日のところは、もう情報収集は充分だろう。

ティーバッグを探してがさごそやっていると――自分でお茶を淹れるのは、火傷をする危険があるのでリスキーだが、ごく慎重にやれば大丈夫――数字ボタンの大きな電話が鳴りだす。受話器のついた旧式の電話だ。もう携帯電話はいじれないから。端っこに残る視力で電話を見つけると、十人か十二人の小さな人たちが――毛皮の縁取りのついた天鵞絨の長マントに銀色のマフをして――キッチンカウンターでスケートしているのは無視して、受話器をとりあげる。

「ああ、よかった」アリスンの声がする。「そっちのようすは、テレビで見てる。例の人たちがホームの外に群がって、ランドリーのヴァンがひっくり返って、もう心配で、心配で！　あ、いまそっちへの飛行機に乗るところだよ、あとで……」

「よしなさい」ウィルマは言う。「こちらは大丈夫だから、大丈夫。ちゃんと統制下にあるし、わざわざ来なくても……」通話はそこで切れる。

なるほど、電話線も切断してまわっているのか。いつ送電が途切れるかわからない。でも、〈アンブロージア荘〉には自家発電設備があるから、当面は持ちこたえるだろう。

お茶を飲んでいると、部屋のドアがひらくが、トバイアスではないようだ。〈ブルート〉の香りがしない。慌ただしく動く足音、塩と湿った布の臭い、急にむせび泣く声。ウィルマは衣服が脱げそうになるほど強く抱擁される。「あなたを置いて出ていけというんです！置いてけって！　わたしたちみんな、ここを出ていけって。職員も、医療関係者も、ひとり残らず。そうしないと……」

「カーチャ、カーチャったら、おちついて」ウィルマはそう声をかけながら、腕を一本ずつふりほどく。

「でも、わたしにとってはお母さんみたいな人なのに！」カーチャの抑圧的な実母については知りすぎるほど知っているから、あまり褒められた気がしないが、好意的な意味で言っているんだろう。

「わたしなら、大丈夫だから」ウィルマは言う。

「でも、だれがベッドを整えたり、洗濯したてのタオルを運んできたり、あなたが割ったものを片づけたり、夜、枕にチョコレートを置いたり……」またむせび泣く声。

「自分でなんとかするわよ」ウィルマは言う。「だから、おとなしくして、面倒を起こさないこと。軍隊が派遣されているそうよ。さすがに軍が来れば解決するでしょう」というのは嘘だが、カーチャを外に出す必要がある。包囲された砦のような様相をますます呈している建物に、彼女まで閉じこめられる謂われはない。

財布を取ってちょうだいとウィルマは頼み、中に残ったわずかな現金をすべてカーチャにわたす。だれか必要としている人がいたらあげて。わたしは当分、買い物三昧をすることもなさそうだから。バスルームにしまってあるフローラルな香りの秘蔵の石鹸も持っていって、と付け足す。わたしのために念のため、二つは残しておいてね。

「どうしてバスタブにお湯を張っているんですか？」カーチャが訊いてくる。少なくとも、泣きやんだようだ。「えっ、これ水じゃないですか！　あったかくしますよ！」

「いいから」ウィルマは言う。「そのままにしておいて。さあ、急いで。出入口を封鎖されたらどうするの？　とり残されたくないでしょ？」

カーチャが行ってしまうと、ウィルマはすり足でリビングエリアに向かい、途中で本棚からなにか落としながら――たぶん鉛筆立てだろう。木製の棒みたいな音がしたから――肘掛け椅子にたどりついて、そこに倒れこむ。現状を検討し、わが人生だかなんだかを振り返ろうと思うが、いや、その前に、活字を拡大できる電子書籍リーダーで、『風と共に去りぬ』を一行でも二行でも先に読み進めてみよう。リーダーのスイッチを入れ、読んでいた箇所を見つける。それができただけでも奇跡的。そろそろ点字を覚えたほうがいいんじゃない？　そりゃそうだが、いまやることでもないだろう。

老いぼれを燃やせ

マーガレット・アトウッド

「ああ、アシュリ、アシュリ。そう思ったとたん、スカーレットは胸の鼓動が速まった」……ばかじゃなかろうか。ウィルマは思う。陥落が差し迫っているというのに、あの弱虫男を思ってめそめそしているの？　アトランタは焼け落ちるし、〈タラ〉は略奪にあう。なにもかもが風と共に去るというのに。

スカーレットがそれを知る前に、ウィルマは船を漕ぎはじめる。

トバイアスにやさしく腕を揺さぶられて目が覚める。ひょっとして、いびきをかいていた？　口を開けていた？　ブリッジはちゃんとはまっていた？「どうしたの？」ウィルマは尋ねる。

「昼ごはんの時間だよ」トバイアスは言う。

「なにか食べ物を見つけたの？」ウィルマは身を起こして訊く。

「乾物のパスタを手に入れた」トバイアスは答える。「それから、ベイクトビーンズも一缶。ところが、厨房はふさがっていてね」

「えっ、職員が残っているの？　調理スタッフが？」だとすれば、少しは安心材料だ。空腹だということに、いまさら気づく。

「いや、調理師たちはみんな出ていった」トバイアスが言う。「厨房にいたのは、ノリーン、ジョー＝アンと、何人かだ。スープを作っていたよ。わたしたちも降りていかないか？」

この騒がしさからすると、食堂は大にぎわいのようだ。みんなノリにのっている。なににのっているにせよ。たぶん、集団ヒステリーというやつだろう。ウィルマはそう思う。きっと厨房から自室まで、ウェイターのようにしてスープを運んでいるのだ。なにかの割れる音がし、笑い声がどっと上がる。

ノリーンの声が耳のすぐ後ろで響く。「ちょっとすごくない？　みんないきなり腕まくりして、協力しあって。まるでサマーキャンプ！　あいつら、ここの年寄りには共同作業もできないと思っていたんだろうね」

「わたしたちの作ったスープ、どう？」こんどはジョー＝アンの声。問いかけた相手はウィルマではなく、トバイアスだ。「大釜で煮たんだけど！」

「いい味だね、ディア・レディ」トバイアスはそつなく答える。

「冷凍庫も漁ってみたのよ！　あるものは片っ端から入れてやった！」ジョー＝アンが言う。「キッチンシンク以外はなんでもかんでも！　イモリの目ん玉！　カエルの足先！　絞め殺した赤子の指！〔いずれも、『マクベス』で魔女たちが大釜で秘薬を作るときの材料〕」ジョー＝アンはイヒヒと笑う。

ウィルマはスープの具材を割りだそうとする。ソーセージ、ソラマメ、それからマッシュルーム？

「厨房のありさまは悲惨だよ」ノリーンが言う。「わたしら、なにに高い金を払っているんだか知らないけど、あのスタッフとやら！　間違っても清掃代は入ってないね！　ネズミがいた」

笑いあっている。

「シーッ」と、ジョー＝アンが言う。「知らぬがホトケでしょ！」ふたりしてキャッキャ
「ただのネズミごときでは驚かないね」トバイアスが言う。「わたしはもっとひどいもの
を目にした」

「でも、とんでもないことになっているのは、〈高度生活棟〉だよ」ノリーンが言う。「石鹼を補充してあげられないかと思って行ってみたら、連絡口のドアが施錠されていた」

「わたしたちじゃ開けられないのよ」ジョー＝アンが言う。「職員たちはみんな出ていってしまったし。ということは……」

「恐ろしいことだよ、恐ろしい」ノリーンが言う。

「打つ手がない」トバイアスが言う。「いずれにせよ、いまここにいる人たちに、別棟の入所者の介護をする余裕はないが。われわれの力ではどうしようもない」

「でも、あの棟の人たち、うろたえているだろうな」ノリーンが小さな声で言う。

「ねえ」と、ジョー＝アンが言う。「お昼を食べたら、わたしたち腹をくくって、二列横隊で表に出ていきましょう！　警察かなにかに事情を話せば、だれかドアを開けにきてくれて、あの棟の気の毒な人たちをまともな場所に移してくれるはずよ。こんな目に遭わされて、屈辱なんか通りこしてるわよ！　あの人たちが着けているバカみたいな赤ちゃんの顔のお面だけどね……」

「出ていっても、連中が通さないだろう」トバイアスが言う。

「だけど、一致団結していけば！　報道陣だって来ているんでしょう。止められるもんで

すか、世界中が見ているんだから！」

「それは当てにならないなあ」トバイアスが言う。「たしかに、世界中の人々はそういうイベントをリング脇の席で見物するのは大好きだ。魔女の火炙りや公開絞首刑には、つねづね見物人がつめかけたものだよ」

「そうやってわたしを脅すのね」ジョー＝アンが言う。あまり脅えた声ではない。

「まずは、昼寝をするかな」ノリーンが言う。「体力を溜めておかないとね。外に乗りだしていく前に。少なくとも、あの汚らしい厨房で皿洗いはする必要がないよね。どうせ、ここには長くいないんだから」


トバイアスは建物の外を一通り、ぐるりと観察する。裏門にも案の定、人々が押しかけているとのこと。彼は夕方まで、ウィルマの部屋でウィルマの双眼鏡をぞんぶんに使う。ライオン門の外の群集の数はますます膨れあがっている。例のプラカードだけでなく、新しいものも振りかざしているという。〈時間切れ〉〈老いぼれを燃やせ〉〈お急ぎください〉〈時間です〉。

無謀にも境界の塀を越えて敷地内に入ってくる者はいない。少なくとも、トバイアスはこれまで見つけていない。陽が翳ってくると、視界はわるくなる。一年のこの時季にしてはめずらしく冷えこみそうだ。少なくとも、天気予報はそう言っており、そこでテレビの音がやんだ。トバイアスによれば、彼の携帯電話もすでに動かなくなっている。外にいる若いやつらは怠け者の共産主義者のくせに、デジタル技術を操るのだけは得意なんだ。ネット内のあちこちに秘密のトンネルを掘っているのさ。白アリみたいに。〈アンブロージア〉の入居者リストも手に入れているに違いないし、アカウントにアクセスして、使えなくしているんだろう。

「あいつら、ドラム缶を持ってる」トバイアスは言う。「中で火を燃やして、ホットドッグなんか焼いているんだ。それに、ビールも飲んでいるようだな」わたしもホットドッグが食べたいと、ウィルマは思う。自分が表に出ていって、それを分けてくれる気はないか丁重に頼んでみる姿を思い浮かべる。いや、彼らの応答も目に浮かぶ。

五時ごろ、〈アンブロージア荘〉のひと握りの住人たちが正面ドアの外に集結する。ほんの十五人ぐらいだ、とトバイアス。まるで軍の隊列のように二列にならんでいる。縦に二人ずつ、一人多い三人の列もある。門の外につめかけた群集が静まる。隊列をじっと見つめている。〈アンブロージア〉隊の一人がメガフォンを持っているよ。ジョー＝アンのようだ、とトバイアス。命令が出されるが、窓ガラスを通すと、なにを言ったのかよくわからない。隊列がもたつきながら前進する。

「みんな、正門にたどりついた?」ウィルマは尋ねる。ああ、この光景を見られたら！大学生のとき観にいったサッカーの試合のよう！　このテンション、敵対する二チーム、メガフォン。ウィルマはいつも観客の側で、試合に出たことはない。当時、女子サッカーなんてなかったから。女子の役割は息をのんで見守るだけ。ルールについてふわっとした知識しかないのは、いまも同様だ。

睨み合いの緊張で、心臓の鼓動が速まる。ジョー＝アンの分隊が封鎖突破に成功したら、残りのみんなも隊を組織して、同じ作戦に出てみよう。

「門には着いたが、なにかあったようだ」と、トバイアス。「ひと悶着あったらしい」

「どういう意味？」ウィルマは訊く。

「どうも、いかんな。こっちにもどってきている」

「走って？」

「最大限、走ろうとしてはいる」トバイアスは言う。「暗くなるのを待とう。待って、とっとと脱出しよう」

「逃げられないでしょ！」ウィルマはわめかんばかりになる。「あの人たちが通さないわよ！」

「建物を出ることはできる」と、トバイアスは言う。「敷地内に隠れていよう。やつらがいなくなるまで。そうすれば、邪魔立てされることもない」

「でも、いなくならないでしょ、あの人たち！」ウィルマは言う。

「けりがつけば、帰っていくさ」トバイアスは言う。「さて、なにか食べないか。このベイクトビーンズの缶を開けよう。実用性の高い缶切りをヘミングウェイが発明してくれなかったのが、むかしから残念でならないよ。缶切りの設計は戦中から改良されていないね」

〝けりがつけば〟って、どういう意味？　ウィルマは訊こうとして、やめる。

提案された〝遠征〟のために、ウィルマは支度をする。トバイアスの話では、屋外で数時間、へたをすると数日は過ごすことになりそうだ。状況による。ウィルマはカーディガンを羽織り、ショールとビスケットを一箱、携える。例のルーペと電子書籍リーダーも。軽いので携帯しやすい。それはそうと、些末なことが気になる。そう、「些末なこと」だとわかってはいるけれど、今夜、入れ歯はどこに置けばいい？　この高価な入れ歯。それに、下着の洗濯は？　あまり荷物は持っていけないと、トバイアスは言っている。

さて、〝月夜のハツカネズミたち〟みたいに冒険に乗りだすか。ちょうどいい頃合いだ。トバイアスに手をとられて、裏手の階段を降り、廊下を通って厨房へ、食材の備蓄エリア、ごみ箱置き場を抜けていく。トバイアスがいちいち旅程を告げてくれるので、ウィルマにもどこにいるのかわかる。段差のあるドアロではいったん立ち止まってくれる。「心配しないで。ひとけはないよ。みんな立ち去ったあとだろう」

「でも、なにか物音が聞こえた」ウィルマは小声で言う。実際、聞こえたのだ。なにかが走りまわるような、かさこそいう音。小さな金切り声のような、キーキーいう音。ついに、小さな人たちが話しかけてきているの？　胸の鼓動が癪にさわるほど速くなる。いやな臭いがしない？　灼けた頭皮というか、不潔な腋の下というか、くさい動物の臭いみたいな？

「ネズミだよ」トバイアスは言う。「こういう場所には決まってドブネズミが潜んでいるもんさ。出てきても安全なときをわきまえているんだ。人間よりかしこいと思うね。はい、腕につかまって、ひとつ段があるから」

さて、裏口を出た。もう建物の外だ。遠くで人々の声がする。なにか唱える声がする

——きっと正門につめかけた群集だろう。なんだろう、なんと言ってる？「退場しろ。ぐずぐずするな、早くしろ。燃やせ、ベイビー、燃やせ。われらに出番を」。不穏なリズムが鳴り響く。

でも、声は遠くから聞こえてくる。ここは、建物の裏手は、静かだ。空気はすがすがしく、夜気はひんやりしている。姿を見られて、不審な侵入者か、〈高度生活棟〉からの脱走者かに間違われないかと、ウィルマは気が気でないが、だれかいるはずがない。ビーグルを連れた見回りなんかいっこない。トバイアスは懐中電灯を点けて、自分の足元を確かめ、さらにはウィルマの足元も確かめては、また電灯のスイッチを切る。

「蛍が飛んでるの？」ウィルマは小声で訊く。そうでありますように。もし違うなら、視界の端に、信号みたいにチカチカ明滅しているものはなんだろう？　視神経の新たな異常だろうか。バスタブに落っことしたトースターみたいに、脳がショートしてしまったのか？

「たくさん飛んでいるよ」トバイアスが囁きかえしてくる。

「わたしたち、どこに向かってるの？」

「いまにわかる。そこに着けば」

ウィルマの頭に、ばかばかしくも恐ろしい考えが浮かぶ。なにもかもがトバイアスの作り話だったら？　赤ん坊のお面をつけた抗議者なんて門に押しかけていなかったら？　それとも、集団幻覚だったら？　血の涙を流す像とか、雲のなかに処女マリアがあらわれる、みたいな。いや、それよりひどいのは——わたしをここに誘いだして絞め殺そうという、手の込んだトバイアスの計略だったら？　この人が、快楽殺人鬼だったら？
でも、ラジオのニュース報道は？　フェイク番組なんてかんたんに作れる。でも、でも、ノリーンとジョー＝アンは？　ふたりのスープは？　役者を雇ったのかも。なら、たったいまも聞こえるシュプレヒコールは？　録音声かも。あるいは、学生にバイトの募集をかけたか――がなるだけなのだ、最低賃金で喜んでやるだろう。狂った知能犯にお金を持たせたら、そんなことはいくらでもできる。

　殺人ミステリの読みすぎ。ウィルマは自分に言い聞かせる。殺すつもりなら、もっと早くできたはず。それに、自分の懸念どおりでも、いまさら引き返せない。引き返そうにも、どこから来たのかもわからない。

「さあ、着いたよ」トバイアスが言う。「正面の特別観覧席だ。ここなら快適に過ごせるだろう」

　着いたのは、ガゼボのひとつだった。いちばん左手にある。小便小僧のいる噴水の端にあたり、トバイアスによれば、〈アンブロージア荘〉の正面玄関が一部見えるという。

「ピーナッツでもどう？」トバイアスは言う。ビリッと袋を破るような音がし、ウィルマがすぼめた手のひらに、卵形のものが入ってくる。なんてほっとする手ざわりだろう！　パニックが退いていく。トバイアスは昼間のうちに、毛布を一枚とコーヒーを入れた魔法瓶二本をガゼボに隠しておいたという。それらをとりだすと、ふたりはおかしなピクニックの体《てい》におちつく。遠い日の若い男性たちとのピクニック――ホットドッグやビールを手にキャンプファイアをやった――をぼんやり思いだしていると、あのときと同じように暗闇から腕がにゅっとあらわれ、ウィルマの肩に、躊躇なく、しかし照れくさそうにまわされる。この腕は本当にここにあるんだろうか。それとも想像の産物？

「わたしといっしょなら安全だ、ディア・レディ」トバイアスが言う。なににせよ程度の問題だけど、とウィルマは思う。

「あの人たち、どうしてる？」と、小さく身震いしながら訊く。

「ぐるぐる歩きまわっている」トバイアスは答える。「まずは、歩きまわる。そのうち、歯止めが効かなくなる」そう言うと、ウィルマを気づかってその肩に毛布をかける。小さな人たちの列があらわれる。男性も女性も。身につけた深緋《こきあけ》の天鵞絨の衣装は見るからに贅沢な生地で、黄金の紋様が入っている。きっとガゼボの、ウィルマには見えない手すりに乗っかっているのだろう。それは舞踏会へ向かう壮麗な行進で、腕を組んでふたり一組になり、前進しては止まり、ターンし、男性は頭をさげてお辞儀、女性は膝を折って右足を引くお辞儀をしてから、また前進、黄金色の爪先をぴんと伸ばして。女性は花飾りのついた蝶の羽根形の冠をかぶっている。男性は司教のような冠《ミトラ》をかぶっている。人間の聴覚域では聞こえない音楽も鳴っているに違いない。

「あっ」と、トバイアスが言う。「初めて火がつけられた。あいつらは松明を持っているんだよ。爆薬も用意しているに違いない」

「けど、まだ残りのみんなが……」ウィルマが言う。

「残りのみんなまでは手がまわらないよ」トバイアスが言う。

「でも、ノリーンは。でも、ジョー＝アンは。まだ中にいるんでしょう。このままじゃ

老いぼれを燃やせ

マーガレット・アトウッド

……」ウィルマはなにかを握りしめている。自分の両手だ。まるで他人の手のように感じられる。

「いつも、いつもこんな風だった」その声からは、失ったなにかを悼んでいるのか、たんに冷淡なのかわからない。

暴徒たちのあげる声がますます大きくなる。「すでに塀の中に入ったよ」トバイアスは言う。「建物の玄関ドアの前に物を積みあげている。横手のドアの前にも積んでいるみたいだ。出入りができないようにするんだろう。それから、裏口も。徹底してやるつもりだな。おっ、石油のドラム缶をいくつか敷地の中へころがしてきた。車を玄関前の石段に横づけにしたぞ。正面突破を封じこめようという気だ」

「やめて、そんなこと」ウィルマは言う。

突然、破裂音がする。ただの花火ならいいのに。

「燃えている。〈アンブロージア〉が」トバイアスが言う。か細く、絞りだすような悲鳴があがる。ウィルマは両耳を手でふさぐが、それでも聞こえてくる。その声はいつまでもつづき、最初は大きかったのが、しだいに小さくなる。

いつになったら消防車が来るの！　サイレンの音も聞こえてこない。

「こんなこと、耐えられない」ウィルマは言う。トバイアスが膝をそっとなでてきて、「みんな、窓から飛びおりて脱出するかもしれないさ」と言う。

「まさか」ウィルマは言う。「しないわよ、そんなこと」もし自分ならしない。ただ挫けてしまうだろう。どのみち、みんなまず煙にやられてしまう。

すでに、あちこちから火の手がまわっている。つぎつぎに上がる炎がまぶしい。真正面から見ても、よく見える。揺らめき、燃えさかる炎に混じって、小さな人たちがいる。緋色の衣装は内側から、深紅に、橙に、黄色に、金色に輝いている。くるくる回りながら昇っていく。あんなに楽しそうに！　近づき、抱擁し、また離れて。空中でのダンス。
見て、見てよ！　歌ってる！

TORCHING THE DUSTIES (from "Stone Mattress") by Margaret Atwood
Copyright © 2014 by O. W. Toad, Ltd.
Permission from O. W. Toad Ltd. c/o Curtis Brown Group Ltd.
arranged through The English Agency (Japan) Ltd.

著訳者一覧

文珍　ウェン・ジェン
1982年、中国湖南省生まれ、現在北京在住。中山大学で金融を学んだ後、文芸創作で北京大学修士号を取得。2011年、「安翔路の恋」で中国四大文学賞の一つ、老舍文学賞を最年少で受賞。著書に『私たちは庭美術館で愛を語る』等（いずれも未邦訳）。

大前粟生（おおまえ・あお）
1992年、兵庫県生まれ。2018年、「GRANTA JAPAN with 早稲田文学」公募プロジェクト最優秀作に選ばれデビュー。著書『回転草』『私と鰐と妹の部屋』『ぬいぐるみとしゃべる人はやさしい』『岩とからあげをまちがえる』『おもろい以外いらんねん』等。

キム・ソンジュン
1975年、ソウル生まれ。2018年、短編「相続」で現代文学賞を受賞。邦訳に「火星の子」（『韓国フェミニズム小説集　ヒョンナムオッパへ』収録・斎藤真理子訳）がある。

桐野夏生（きりの・なつお）
1951年生まれ。98年『OUT』で日本推理作家協会賞、99年『柔らかな頬』で直木賞、2003年『グロテスク』で泉鏡花文学賞、04年『残虐記』で柴田錬三郎賞、08年『東京島』で谷崎潤一郎賞、11年『ナニカアル』で読売文学賞等、受賞歴・著書多数。最新刊『日没』。

こだま
主婦。2017年、『夫のちんぽが入らない』でデビュー。18年、エッセイ集『ここは、おしまいの地』で第34回講談社エッセイ賞を受賞。最新刊『いまだ、おしまいの地』。

サラ・カリー　Sarah Curry
アメリカ生まれ、現在ケンタッキー州在住。2019年、ペン・アメリカが有望な新人作家に与える賞PEN /Robert J.Dau Short Story Prize for Emerging Writersを、この「リッキーズ」で受賞。なお、2019年度の審査員はカルメン・マリア・マチャドほか3名。

藤野可織（ふじの・かおり）
1980年、京都市生まれ。同志社大学大学院美学および芸術学専攻博士課程前期修了。2006年「いやしい鳥」で文學界新人賞を受賞しデビュー。13年「爪と目」で芥川賞受賞。著書『ドレス』『ピエタとトランジ〈完全版〉』等。

ヘレン・オイェイェミ　Helen Oyeyemi
1984年、ナイジェリア生まれ。4歳のときにロンドンに移住し、18歳で『イカルス・ガール』（金原瑞人・ふなとよし子訳）を書き上げたあと、ケンブリッジ大学コーパス・クリスティ・カレッジに入学、社会政治学を専攻。これまで長編6冊、短編集1冊を発売している。

マーガレット・アトウッド　Margaret Atwood
1939年、カナダ生まれ、現在トロント在住。カナダを代表する作家。85年に発表した『侍女の物語』は世界的ベストセラーに。96年に『またの名をグレイス』でギラー賞、2000年に『昏き目の暗殺者』でブッカー賞とハメット賞、19年『誓願』で2度目のブッカー賞を受賞。

柚木麻子（ゆずき・あさこ）
1981年、東京都生まれ。2008年、オール讀物新人賞を受賞し、『終点のあの子』でデビュー。15年『ナイルパーチの女子会』で山本周五郎賞受賞。著書『ランチのアッコちゃん』『BUTTER』『マジカルグランマ』等。

上田麻由子（うえだ・まゆこ）
大学講師、翻訳家。訳書にシリ・ハストヴェット『震えのある女』、ウィンザー・マッケイ『眠りの国のリトル・ニモ』、ロクサーヌ・ゲイ『むずかしい女たち』（共訳）など。著書『2・5次元クロニクル 2017-2020』。

岸本佐知子（きしもと・さちこ）
翻訳家。訳書にショーン・タン『内なる町から来た話』、ルシア・ベルリン『掃除婦のための手引き書』、ジョージ・ソーンダーズ『十二月の十日』、著書に『死ぬまでに行きたい海』等。

鴻巣友季子（こうのす・ゆきこ）
1963年生まれ。翻訳家、エッセイスト。訳書に、J・M・クッツェー『恥辱』、マーガレット・ミッチェル『風と共に去りぬ』、マーガレット・アトウッド『誓願』、著書に『全身翻訳家』等。

斎藤真理子（さいとう・まりこ）
1960年生まれ。翻訳家。訳書にチョ・ナムジュ『82年生まれ、キム・ジヨン』、ハン・ガン『回復する人間』、ファン・ジョンウン『ディディの傘』、イ・ラン『アヒル命名会議』等。

濱田麻矢（はまだ・まや）
1969年生まれ。翻訳家。神戸大学大学院人文学研究科教授。現代中国語圏文学専門。訳書に張愛玲『中国が愛を知ったころ』、共著に『漂泊の叙事』等。

初出

「リッキーたち」サラ・カリー　訳し下ろし
「パティオ８」柚木麻子　「文藝」二〇二〇年秋季号
「ケンブリッジ大学地味子団」ヘレン・オイェイェミ　「文藝」二〇二〇年秋季号
「先輩狩り」藤野可織　「文藝」二〇二〇年秋季号
「星空と海を隔てて」文珍　「文藝」二〇二〇年秋季号
「なあ、ブラザー」大前粟生　書き下ろし
「桃子さんのいる夏」こだま　「文藝」二〇二〇年秋季号
「未来は長く続く」キム・ソンジュン　「文藝」二〇二〇年秋季号
「断崖式」桐野夏生　「文藝」二〇二〇年秋季号
「老いぼれを燃やせ」マーガレット・アトウッド　「文藝」二〇二〇年秋季号

JASRAC 2101044-101

覚醒するシスターフッド

2021年2月18日　初版印刷
2021年2月28日　初版発行

著者　サラ・カリー、柚木麻子、ヘレン・オイェイェミ、藤野可織、
　　　文珍、大前粟生、こだま、キム・ソンジュン、桐野夏生、
　　　マーガレット・アトウッド
訳者　岸本佐知子、上田麻由子、濱田麻矢、斎藤真理子、鴻巣友季子

発行者　小野寺優
発行所　株式会社河出書房新社
　　　　〒151-0051
　　　　東京都渋谷区千駄ヶ谷2-32-2
　　　　電話　03-3404-1201（営業）
　　　　　　　03-3404-8611（編集）
　　　　http://www.kawade.co.jp/
組　版　株式会社キャップス
印　刷　図書印刷株式会社
製　本　図書印刷株式会社

Printed in Japan
ISBN 978-4-309-02943-6
落丁本・乱丁本はお取り替えいたします。
本書のコピー、スキャン、デジタル化等の無断複製は著作権法上での例外を除き禁じられています。本書を代行業者等の第三者に依頼してスキャンやデジタル化することは、いかなる場合も著作権法違反となります。